#홈스쿨링
#혼자공부하기

똑똑한
하루
글쓰기

Chunjae
Makes
Chunjae

▼

[똑똑한 하루 글쓰기] 4B

기획총괄	박진영
편집개발	전종현, 이재인, 김민숙, 백경민, 박지윤, 김효진, 박지영
디자인총괄	김희정
표지디자인	윤순미, 김지현
내지디자인	박희춘, 배미현
제작	황성진, 조규영

발행일	2021년 12월 15일 초판 2021년 12월 15일 1쇄
발행인	(주)천재교육
주소	서울시 금천구 가산로9길 54
신고번호	제2001-000018호
고객센터	1577-0902

4단계 B 공부할 내용 한눈에 보기!

1주 글을 요약해서 써 보자!

도입	1주에는 무엇을 공부할까?	8쪽
1일	설명하는 글 읽고 요약하기	12쪽
2일	주장하는 글 읽고 요약하기	18쪽
3일	이야기 읽고 요약하기	24쪽
4일	기행문 읽고 요약하기	30쪽
5일	전기문 읽고 요약하기	36쪽
특강	창의·융합·코딩	42쪽
평가	누구나 100점 테스트	48쪽

2주 전기문을 읽고 독서 감상문을 써 보자!

도입	2주에는 무엇을 공부할까?	50쪽
1일	전기문을 읽게 된 까닭 쓰기	54쪽
2일	인물이 한 일 쓰기	60쪽
3일	인물의 가치관 쓰기	66쪽
4일	인물에게 본받을 점 쓰기	72쪽
5일	전기문을 읽고 독서 감상문 쓰기	78쪽
특강	창의·융합·코딩	84쪽
평가	누구나 100점 테스트	90쪽

3주 광고문을 써 보자!

도입	3주에는 무엇을 공부할까?	92쪽
1일	공익 광고문 쓰기 ①	96쪽
2일	공익 광고문 쓰기 ②	102쪽
3일	공익 광고문 쓰기 ③	108쪽
4일	상품 광고문 쓰기 ①	114쪽
5일	상품 광고문 쓰기 ②	120쪽
특강	창의·융합·코딩	126쪽
평가	누구나 100점 테스트	132쪽

4주 여러 종류의 감상문을 써 보자!

도입	4주에는 무엇을 공부할까?	134쪽
1일	시 감상문 쓰기	138쪽
2일	이야기 감상문 쓰기	144쪽
3일	그림 감상문 쓰기	150쪽
4일	음식 감상문 쓰기	156쪽
5일	연극 감상문 쓰기	162쪽
특강	창의·융합·코딩	168쪽
평가	누구나 100점 테스트	174쪽

똑똑한 하루 글쓰기를 함께 할 친구들을 소개합니다.

밤톨 · 달래 · 기찬

바밤별에서 글쓰기를 배우러 온 외계인 친구 밤톨! 엉뚱발랄한 달래와 잘난 척 왕자 기찬을 만나
함께 공부하며 글쓰기 실력이 쑥쑥 자라고 있대요.

글붓 · 판판 · 똑똑이 · 술술이

글쓰기 공부를 도와주는 글붓과 말하는 판다 판판도 글쓰기 공부를 함께 할 거예요.
글쓰기 채널을 운영하는 똑똑TV 똑똑이와 술술TV 술술이도 기억해 주세요.

똑똑한 하루 글쓰기
4단계 B
스케줄표

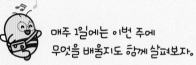
공부했으면 빈칸에 체크(v)해 줘!

1주 글을 요약해서 써 보자!

1일 8~17쪽 ☐	2일 18~23쪽 ☐	3일 24~29쪽 ☐	4일 30~35쪽 ☐
설명하는 글 읽고 요약하기	주장하는 글 읽고 요약하기	이야기 읽고 요약하기	기행문 읽고 요약하기

매주 1일에는 이번 주에 무엇을 배울지도 함께 살펴보자.

5일 36~41쪽 ☐
전기문 읽고 요약하기

5일 78~83쪽 ☐	4일 72~77쪽 ☐	3일 66~71쪽 ☐	2일 60~65쪽 ☐	1일 50~59쪽 ☐	**2주** 전기문을 읽고 독서 감상문을 써 보자!	특강 42~49쪽 ☐
전기문을 읽고 독서 감상문 쓰기	인물에게 본받을 점 쓰기	인물의 가치관 쓰기	인물이 한 일 쓰기	전기문을 읽게 된 까닭 쓰기		창의·융합·코딩 ➕ 누구나 100점 테스트

특강 84~91쪽 ☐
창의·융합·코딩 ➕ 누구나 100점 테스트

한 주 끝! 하루하루 꾸준히 하자!

3주 광고문을 써 보자!

1일 92~101쪽 ☐	2일 102~107쪽 ☐	3일 108~113쪽 ☐	4일 114~119쪽 ☐	5일 120~125쪽 ☐
공익 광고문 쓰기 ①	공익 광고문 쓰기 ②	공익 광고문 쓰기 ③	상품 광고문 쓰기 ①	상품 광고문 쓰기 ②

특강 126~133쪽 ☐
창의·융합·코딩 ➕ 누구나 100점 테스트

대단해! 꾸준히 공부해서 한 권을 끝냈구나.

특강 168~175쪽 ☐	5일 162~167쪽 ☐	4일 156~161쪽 ☐	3일 150~155쪽 ☐	2일 144~149쪽 ☐	1일 134~143쪽 ☐	**4주** 여러 종류의 감상문을 써 보자!
창의·융합·코딩 ➕ 누구나 100점 테스트	연극 감상문 쓰기	음식 감상문 쓰기	그림 감상문 쓰기	이야기 감상문 쓰기	시 감상문 쓰기	

글쓰기,
어떻게 시작할까요?

똑똑한 글쓰기 질문
하나!

글쓰기 공부 왜 필요할까요?

자신의 생각을 표현하는 수단이자 모든 학습의 바탕이 되는 활동이 바로 글쓰기예요. 특히 배운 내용을 정리하고, 이해한 것을 글로 풀어내는 글쓰기 능력은 모든 과목 학습 성취에 큰 영향을 끼친답니다.

똑똑한 글쓰기 질문
둘!

계속되는 글쓰기 공부의 실패 원인은 무엇일까요?

글쓰기를 시작하는 순간부터 아이들은 무엇을 써야 할지, 어떻게 표현할지, 어떻게 고쳐야 자연스러울지 등 많은 고민을 하게 되고, 이를 힘들어한답니다. 이렇게 복잡하고 어려운 글쓰기 과정이 익숙해지지 않았을 때 "이것 한번 써 보렴." 하고 과제를 주면 돌아오는 대답은 "엄마, 글쓰기가 싫어요!"일 수밖에 없을 거예요. 그래서 『똑똑한 하루 글쓰기』는 아이들이 차츰 글쓰기에 익숙해지고 재미를 붙여 나갈 수 있도록 만들었답니다.

똑똑한 글쓰기 질문
셋!

글쓰기 공부 어떻게 시작해야 할까요?

쉽고 재미있는 『똑똑한 하루 글쓰기』로 시작해 보세요. 만화와 게임 형식의 문제로 글쓰기 개념을 익히고, 낱말 쓰기부터 한 편 쓰기까지 단계별로 글쓰기를 연습할 수 있어요. 그리고 고쳐쓰기를 통해 문법 실력을 키우고, 내 생각 쓰기로 마무리하며 창의적 글쓰기까지 연습할 수 있답니다. 하루하루 꾸준히 공부해서 한 권을 끝내면 글쓰기 실력과 함께 자신감도 쑥쑥 자랄 거예요.

진짜 똑똑한 글쓰기를 시작해 볼까요?

이 책의 특징과 장점

똑똑한 하루 글쓰기로
똑똑해지자!

지잉~

여기가 지구별이군!
드디어 글쓰기를
배울 수 있겠어!

너도 같이 글쓰기
공부 할래? 말할 수
있게 되라냐! 빠밤!

지잉~

응?

글쓰기 공부를
꼭 해야 해?

자신의 생각을 잘
표현하고, 모든 과목의
기초를 쌓기 위해
글쓰기는 필수라고.

너희도 글쓰기
공부 할 거니?
같이 하자.

하지만
이 글쓰기책은
너무 지루한걸.

심심한
글쓰기

쉽고 재미있는
글쓰기책도 있다고!

똑똑한
하루
글쓰기

4 B

똑똑한 하루 글쓰기!
왜 똑똑한 하루 글쓰기일까요?

1 **10분이면 하루 글쓰기 끝!** 쉽고 재미있는 글쓰기 공부!

2 교과 학습 과정을 반영한 **갈래별 글쓰기!** 매주 다양한 갈래로 즐거운 학습!

3 **단계별 글쓰기**로 글쓰기 실력 향상! 낱말 쓰기부터 한 편 쓰기까지!

4 **고쳐쓰기**로 기초 실력 다지기! 어휘력과 문법 실력도 쑥쑥!

5 **창의·융합·코딩**으로 사고력 넓히기! 생활 어휘부터 코딩 학습까지!

구성과 활용 방법

한 주 동안 공부할 내용을 만화로 미리 살펴보고, 한 주의
글쓰기 개념을 만화와 문제로 확인합니다.

똑똑한
하루 글쓰기 코스

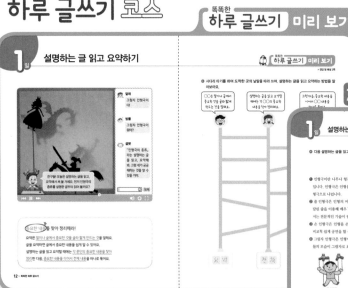

글쓰기 개념 익히기

캐릭터들의 재미있는 대화와 게임 형식의 확인 문제로
핵심 글쓰기 개념을 익힙니다.

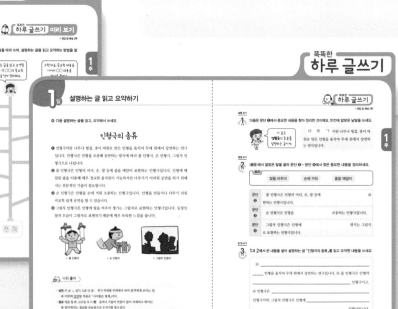

단계별 글쓰기

다양한 글쓰기 상황을 살펴보고, '낱말 쓰기 → 문장 쓰기 → 한 편 쓰기'를
단계별로 학습하며 쉽고 재미있게 글쓰기를 연습합니다.

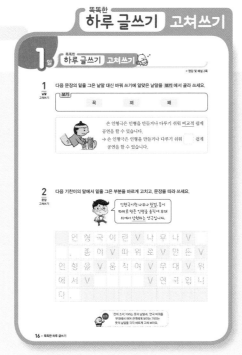

고쳐쓰기

'낱말 고쳐쓰기 → 문장 고쳐쓰기'를 통해 글쓰기의 기본인 어휘력을 높이고 문법과 맞춤법 실력을 다집니다.

내 생각 쓰기로 마무리

하루 학습 목표에 맞게 제시된 주제에 대한 내 생각 쓰기로 하루의 글쓰기 학습을 마무리합니다.

생활 어휘

생활 속에서 자주 쓰는 속담과 관용어의 뜻과 쓰임을 만화로 익힙니다.

창의·융합·코딩 미션

게임 형식의 창의·융합·코딩 미션을 해결하며 재미있게 한 주의 중요 어휘를 확인하고 다양한 배경지식을 넓힙니다.

누구나 100점 테스트

한 주 동안 공부한 내용을 평가하며 갈래별 글쓰기 실력을 확인합니다.

 ## 친구들과 약속해요!

우리 같이 약속해요!

첫째, 하루하루 빠짐없이 꾸준히 공부하기!

둘째, 하루 글쓰기 문제 끝까지 다 풀기!

셋째, 또박또박 바르게 글씨 쓰기!

약속하는 사람 _____

쉽고 재미있는
『똑똑한 하루 글쓰기』로
첫 글쓰기 공부를 시작해 봐요.

똑 똑 한

하루
글쓰기

4단계
B

3~4학년

1주

1주에는 무엇을 공부할까? ❶

글을 요약해서 써 보자!

1일 설명하는 글 읽고 요약하기

2일 주장하는 글 읽고 요약하기

3일 이야기 읽고 요약하기

4일 기행문 읽고 요약하기

5일 전기문 읽고 요약하기

1-1 설명하는 글을 읽고 요약하는 방법으로 알맞은 것을 골라 ○표를 하세요.

(1) 주장과 근거를 찾아 정리해요. ( )

(2) 언제, 어디에서, 누구에게, 어떤 일이 일어났는지 찾아 정리해요. ( )

(3) 각 문단의 중요한 내용을 찾아 정리한 다음, 중요한 내용을 이어서 전체 내용을 하나로 묶어요. ( )

1-2 다음은 설명하는 글 「인형극의 종류」 중 한 문단이에요. ㉠과 ㉡ 중 문단에서 중요한 내용에 해당하는 것은 무엇인지 기호를 쓰세요.

㉠ 그림자 인형극은 인형에 빛을 비추어 생기는 그림자로 표현하는 인형극입니다. ㉡ 등장인물의 모습이 그림자로 표현되기 때문에 매우 독특한 느낌을 줍니다.

( )

▶ 정답 및 해설 2쪽

2-1 전기문을 읽고 요약하는 방법으로 알맞은 말을 골라 ○표를 하세요.

> 인물이 살았던 시대 상황 속에서 인물이 (간 곳 , 한 일)을 차례대로 찾아 정리해요.

2-2 다음은 전기문 「의사, 장기려」의 일부분이에요. 인물이 한 일을 찾아 정리한 것으로 알맞은 것을 골라 ○표를 하세요.

한 환자가 장기려를 찾아왔다.

"모레가 퇴원인데 입원비가 없습니다."

장기려는 고민 끝에 이렇게 말했다.

"내가 밤에 뒷문을 살짝 열어 둘 테니 몰래 퇴원 준비를 하고 기다리세요. 빨리 나가서 농사를 지어야 진료비를 갚을 거 아닙니까?"

(1) 입원비가 없는 환자를 몰래 뒷문으로 내보냈다. (   )

(2) 입원비가 없는 환자를 치료하지 않고 돌려보냈다. (   )

설명하는 글 읽고 요약하기

중요한 내용을 찾아 정리해라!

요약은 말이나 글에서 중요한 것을 골라 짧게 만드는 것을 말해요.

글을 요약하면 글에서 중요한 내용을 쉽게 알 수 있어요.

설명하는 글을 읽고 요약할 때에는 각 문단의 중요한 내용을 찾아

정리한 다음, 중요한 내용을 이어서 전체 내용을 하나로 묶어요.

● 사다리 타기를 하여 도착한 곳의 낱말을 따라 쓰며, 설명하는 글을 읽고 요약하는 방법을 알아보아요.

1
주

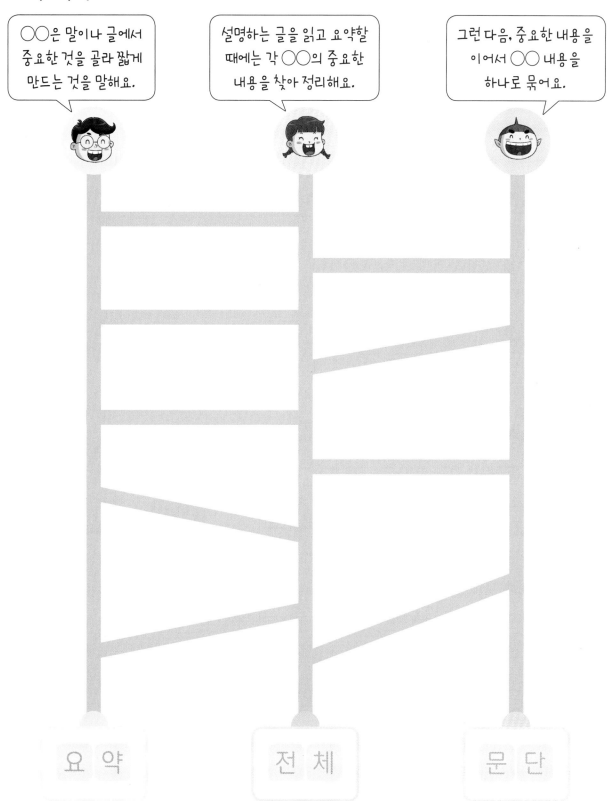

○○은 말이나 글에서 중요한 것을 골라 짧게 만드는 것을 말해요.

설명하는 글을 읽고 요약할 때에는 각 ○○의 중요한 내용을 찾아 정리해요.

그런 다음, 중요한 내용을 이어서 ○○ 내용을 하나로 묶어요.

요 약

전 체

문 단

● 다음 설명하는 글을 읽고, 요약해서 쓰세요.

인형극의 종류

❶ 인형극이란 나무나 헝겊, 종이 따위로 만든 인형을 움직여 무대 위에서 상연하는 연극입니다. 인형극은 인형을 조종해 공연하는 방식에 따라 줄 인형극, 손 인형극, 그림자 인형극으로 나뉩니다.

❷ 줄 인형극은 인형의 머리, 손, 발 등에 줄을 매달아 표현하는 인형극입니다. 인형에 매달린 줄을 이용해 매우 정교한 움직임이 가능하지만 다루기가 어려워 공연을 하기 위해서는 전문적인 기술이 필요합니다.

❸ 손 인형극은 인형을 손에 끼워 조종하는 인형극입니다. 인형을 만들거나 다루기 쉬워 비교적 쉽게 공연을 할 수 있습니다.

❹ 그림자 인형극은 인형에 빛을 비추어 생기는 그림자로 표현하는 인형극입니다. 등장인물의 모습이 그림자로 표현되기 때문에 매우 독특한 느낌을 줍니다.

▲ 줄 인형극

▲ 손 인형극

▲ 그림자 인형극

어휘 풀이

▾**상연**|위 상 上, 멀리 흐를 연 演|　연극 따위를 무대에서 하여 관객에게 보이는 일.
　⑩ 이번에 상연할 작품은 「사이좋은 형제」이다.

▾**정교**|찧을 정 精, 교묘할 교 巧|한　솜씨나 기술이 빈틈이 없이 자세하고 뛰어난.
　⑩ 엄마께서는 정교한 손놀림으로 도자기를 빚으셨다.

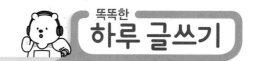

▶ 정답 및 해설 2쪽

낱말 쓰기

다음은 문단 ❶에서 중요한 내용을 찾아 정리한 것이에요. 빈칸에 알맞은 낱말을 쓰세요.

이 글은 인형극의 종류를 설명하는 글이야.

　ㅇ　ㅎ　ㄱ　이란 나무나 헝겊, 종이 따위로 만든 인형을 움직여 무대 위에서 상연하는 연극입니다.

문장 쓰기

보기 에서 알맞은 말을 골라 문단 ❷～문단 ❹에서 찾은 중요한 내용을 정리하세요.

보기

빛을 비추어　　　　손에 끼워　　　　줄을 매달아

문단 ❷	줄 인형극은 인형의 머리, 손, 발 등에 　　　　　　　　표현하는 인형극입니다.
문단 ❸	손 인형극은 인형을 　　　　　　　조종하는 인형극입니다.
문단 ❹	그림자 인형극은 인형에 　　　　　　생기는 그림자로 표현하는 인형극입니다.

한 편 쓰기

1과 2에서 쓴 내용을 넣어 설명하는 글 「인형극의 종류」를 읽고 요약한 내용을 쓰세요.

　❶ ＿＿＿＿＿＿＿＿＿＿＿＿＿＿＿＿＿＿＿＿＿

＿＿＿＿ 인형을 움직여 무대 위에서 상연하는 연극입니다. ❷ 줄 인형극은 인형의

＿＿＿＿＿＿＿＿＿＿＿＿＿＿＿＿＿＿＿＿ 인형극이고,

손 인형극은 ＿＿＿＿＿＿＿＿＿＿＿＿＿＿＿＿＿＿

인형극이며, 그림자 인형극은 인형에 ＿＿＿＿＿＿＿＿

＿＿＿＿＿＿＿＿＿＿＿＿ 인형극입니다.

▶ 정답 및 해설 2쪽

1
낱말
고쳐쓰기

다음 문장의 밑줄 그은 낱말 대신 바꿔 쓰기에 알맞은 낱말을 보기 에서 골라 쓰세요.

보기

꼭   꾀   꽤

손 인형극은 인형을 만들거나 다루기 쉬워 <u>비교적</u> 쉽게 공연을 할 수 있습니다.

→ 손 인형극은 인형을 만들거나 다루기 쉬워 ☐ 쉽게 공연을 할 수 있습니다.

2
문장
고쳐쓰기

다음 기찬이의 말에서 밑줄 그은 부분을 바르게 고치고, 문장을 따라 쓰세요.

인형극이란 나무나 <u>헝겁</u>, 종이 따위로 만든 인형을 움직여 무대 위에서 <u>상현하는</u> 연극입니다.

인	형	극	이	란	V	나	무	나	V
,	종	이	V	따	위	로	V	만	든	V
인	형	을	V	움	직	여	V	무	대	V	위
에	서	V			V	연	극	입	니
다	.								

힌트 '천의 조각.'이라는 뜻의 낱말과, '연극 따위를 무대에서 하여 관객에게 보이는.'이라는 뜻의 낱말을 각각 바르게 고쳐 보아요.

◉ 점선 부분을 따라 선을 그으며 다음 설명하는 글을 읽고, 요약해서 쓰세요.

피자는 왜 원 모양으로 만들까?

　신선한 채소와 햄, 고소한 치즈를 듬뿍 올린 피자! 생각만 해도 침이 꼴깍 넘어가지요? 그런데 피자는 왜 원 모양으로 만들까요?

　피자를 원 모양으로 만드는 까닭은 작은 반죽 덩어리를 원 모양으로 빚었을 때 그 위에 피자 재료를 많이 얹을 수 있기 때문이에요. 다른 모양의 접시보다 원 모양의 둥근 접시에 더 많은 음식을 담을 수 있는 것, 원 모양의 둥근 탁자에 더 많은 접시를 올려놓을 수 있는 것과 같은 이치예요.

　또 피자 반죽을 원 모양으로 둥글게 하면 열을 받을 수 있는 최대 면적이 나와 빵을 구울 때 열이 효과적으로 전달된다고 해요.

　이와 같이 피자 모양에도 수학의 원리가 숨어 있다는 것이 참 놀랍지요?

↓

피자를 ❶ [　][　]으로 만드는 까닭은 작은 반죽 덩어리를 원 모양으로 빚었을 때 그 위에 ❷ [　][　][　]를 많이 얹을 수 있고, 열을 받을 수 있는 최대 면적이 나와 빵을 구울 때 ❸ [　]이 효과적으로 전달되기 때문이에요.

힌트 　점선 부분을 따라 선을 그으며 읽으면 각 문단의 중요한 내용을 쉽게 찾을 수 있을 거예요. 각 문단의 중요한 내용을 찾아 정리한 다음, 중요한 내용을 이어서 전체 내용을 하나로 묶어 보아요.

를 찾아 정리해라!

주장하는 글을 읽고 요약할 때에는

어떤 문제를 놓고 글쓴이가 내세우는 내용인 주장과

그 주장을 뒷받침하는 내용인 근거를 찾아 정리해요.

● 그림에 맞는 퍼즐 모양을 찾아 선으로 잇고, 주장하는 글을 읽고 요약하는 방법을 알아보아요.

글쓴이가 내세우는 내용인 ○○을 찾아 정리해요.

주장을 뒷받침하는 내용인 ○○를 찾아 정리해요.

근거

주장

 주장하는 글을 읽고 요약하는 방법을 생각하며 잠을 충분히 자야 한다는 주장을 뒷받침하는 근거를 따라 쓰세요.

잠	이	V	부	족	하	면	V	학	습	V
능	력	이	V	낮	아	져	요	.		

⊙ 다음 주장하는 글을 읽고, 요약해서 쓰세요.

잠을 충분히 자야 해요

공부할 시간이 부족해서, 그렇지 않으면 더 오래 놀고 싶어서 잠자는 시간을 줄여 본 적이 있나요? 하지만 잠이 ▾보약이라는 말이 있듯이 잠을 충분히 자야 해요.

잠이 부족하면 학습 능력이 낮아져요. 잠을 자는 동안에 뇌에서는 낮에 있었던 일이나 공부한 것이 ▾장기 기억으로 바뀌어 저장돼요. 그래서 잠이 부족하면 배운 내용을 오래 기억할 수 없게 되는 거예요.

또 잠이 부족하면 비만이 될 수도 있어요. 잠자는 시간이 짧을수록 ▾포만감을 느끼게 하는 호르몬의 ▾농도는 낮아지고 배고픔을 느끼게 하는 호르몬의 농도는 높아진다고 해요. 그래서 잠이 부족하면 음식을 먹어도 배부르지 않고 배고픔을 느끼게 되어 비만으로 이어질 가능성이 높아지는 것이지요.

따라서 학습 능력을 높이고 비만이 되지 않기 위해서는 잠을 충분히 자야 한답니다.

🐭 어휘 풀이

▾ **보약**|기울 보 補, 약 약 藥| 몸의 기운을 높여 주고 건강하도록 도와주는 약.
　㉠ 할머니께서 보약을 지어 주셨다.

▾ **장기**|길 장 長, 기약할 기 期| 긴 기간. ㉠ 이 연극은 인기가 많아 장기 공연 중이다.

▾ **포만감**|배부를 포 飽, 찰 만 滿, 느낄 감 感| 넘치도록 가득 차 있는 느낌.
　㉠ 햄버거를 두 개나 먹고서야 포만감이 느껴졌다.

▾ **농도**|짙을 농 濃, 법도 도 度| 용액 따위의 진함과 묽음의 정도. ㉠ 이 바닷물은 소금의 농도가 짙다.

낱말 쓰기

1 단계 이 글의 주장은 무엇인지 빈칸에 알맞은 낱말을 쓰세요.

잠이 보약이라고 했으니까 충분히 자야겠다.

ㅈ 을 충분히 자야 해요.

문장 쓰기

2 단계 **1**에서 답한 주장을 뒷받침하는 근거는 무엇인지 보기 에서 알맞은 내용을 골라 문장을 완성하세요.

보기

될   낮아지고   비만이   학습 능력이

잠이 부족하면   ,

수도 있어요.

한 편 쓰기

3 단계 **1**과 **2**에서 쓴 내용을 넣어 주장하는 글 「잠을 충분히 자야 해요」를 읽고 요약한 내용을 쓰세요.

		❶		V			V			V	
		❷왜	냐	하	면	V	잠	이	V	부	족
하	면	V			V				V		
			,				V		V		V
있	기	V	때	문	이	에	요	.			

1 다음 문장의 밑줄 그은 말 대신 바꿔 쓰기에 알맞은 낱말을 보기 에서 골라 쓰세요.

낱말
고쳐쓰기

보기

만일   비록   혹은

공부할 시간이 부족해서, 그렇지 않으면 더 오래
놀고 싶어서 잠자는 시간을 줄여 본 적이 있나요?

↓

공부할 시간이 부족해서, ☐ ☐ 더 오래
놀고 싶어서 잠자는 시간을 줄여 본 적이 있나요?

2 다음 달래의 말을 띄어쓰기 표시에 맞게 원고지 칸에 옮겨 쓰세요.

문장
고쳐쓰기

잠이∨부족하면∨
비만이∨될∨
수도∨있어요.

힌트 낱말과 낱말은 띄어 쓰지만,
'이', '도'와 같은 말은 앞말에 붙여 써요.
그리고 '수'는 혼자서는 쓸 수 없는 낱말로,
앞에 오는 다른 낱말과 함께 써야 하고
쓸 때에는 앞말과 띄어 써야 해요.

	잠	이								
될										

▶ 정답 및 해설 3쪽

● 달래는 주장하는 글 「편식하지 말자」를 읽고, 요약해 보았어요. 다음 만화를 읽고, 주장하는 글의 가운데 부분을 정리해 빈칸에 알맞은 내용을 쓰세요.

편식을 하면 균형 있는 신체 발달이 어렵다. 영양소는 한 음식에만 있는 것이 아니라 여러 가지 음식에 골고루 있다. 음식을 골고루 먹어야 신체 발달에 필요한 영양소를 골고루 섭취할 수 있는 것이다.

편식을 하면 환경도 오염된다. 편식으로 먹지 않은 음식은 버려져 처리되는 과정에서 수질과 토양을 오염시킨다.

편	식	하	지		말	자	.		왜	냐	하
면		편	식	을		하	면				

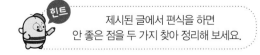
힌트
제시된 글에서 편식을 하면
안 좋은 점을 두 가지 찾아 정리해 보세요.

이야기 읽고 요약하기

배경, 인물, 사건을 찾아 정리해라!

이야기는 이야기가 펼쳐지는 시간과 장소인 배경,

이야기에서 어떤 일을 겪는 사람이나 사물인 인물,

이야기에서 일어나는 일인 사건으로 구성돼요.

따라서 이야기를 읽고 요약할 때에는 언제, 어디(배경)에서,

누구(인물)에게, 어떤 일이 일어났는지(사건) 찾아 정리해요.

◉ 이야기를 읽고 요약하는 방법에 맞게 빈칸에 알맞은 말을 따라 쓰세요.

이야기는 이야기가 펼쳐지는 시간과 장소인 배경, 이야기에서 어떤 일을 겪는 사람이나 사물인 인물, 이야기에서 일어나는 일인 사건 으로 구성돼요. 따라서 이야기를 읽고 요약할 때에는 언제, 어디 (배경)에서, 누구 (인물)에게, 어떤 일 이 일어났는지(사건) 찾아 정리해요.

◉ 위에서 따라 쓴 말을 모두 찾아 색칠해 보고, 어떤 모양이 나오는지 알아보아요.

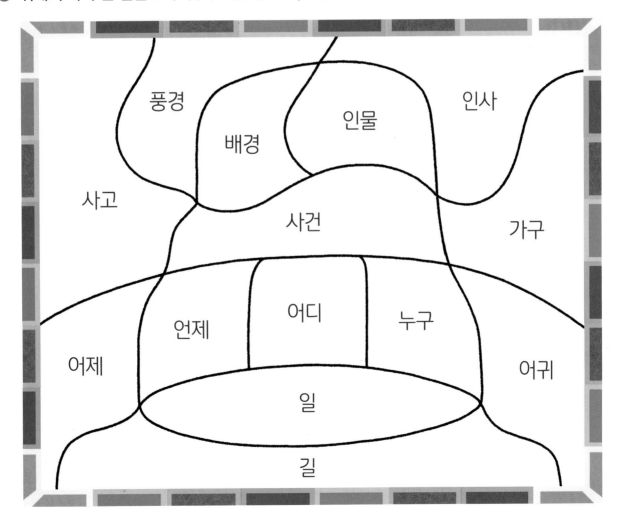

3_일 이야기 읽고 요약하기

● 다음 이야기를 읽고, 요약해서 쓰세요.

능텅 감투

❶ 옛날, 한 영감이 산속에서 길을 잃고 무덤 옆에서 잠을 자게 되었는데, 무덤 속에서 귀신들이 나왔어.

❷ 귀신들은 머리에 쓰면 사람들 눈에는 보이지 않게 되는 능텅 감투를 영감 머리에 씌워 주고는 따라오라고 했어.

❸ 영감은 귀신들과 함께 제사를 지내는 집에 들어가 제사 음식을 실컷 먹고, 날이 밝자 능텅 감투를 쓴 채 집으로 달아났어.

❹ 그날부터 영감은 능텅 감투를 쓰고 제사를 지내는 집만 찾아다니며 제사 음식을 훔쳐 먹었어.

> 🐭 **어휘 풀이**

▼ **감투** 옛날에 머리에 쓰던 말총, 가죽, 헝겊 등으로 만든 작은 모자.

▼ **제사**|제사 제 祭, 제사 사 祀| 신이나 죽은 사람의 영혼에게 음식을 바쳐 정성을 나타냄. 또는 그런 의식. 예 온 가족이 <u>제사</u> 음식을 준비하느라 바쁘다.

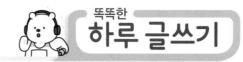
낱말 쓰기

1
단계

이야기가 시작되는 시간과 장소인 배경을 찾아 빈칸에 각각 쓰세요.

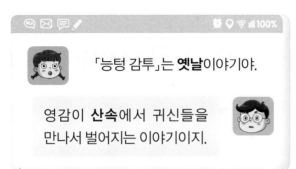

「능텅 감투」는 **옛날**이야기야.

영감이 **산속**에서 귀신들을 만나서 벌어지는 이야기이지.

ㅇ ㄴ , ㅅ ㅅ 무덤 옆에서 잠을 자던 영감에게 무덤 속 귀신들이 머리에 쓰면 사람들 눈에는 보이지 않게 되는 능텅 감투를 씌워 주고는 함께 제사 음식을 먹으러 갔다.

문장 쓰기

2
단계

보기 에서 빈칸에 알맞은 말을 골라 누구에게 어떤 일이 일어났는지 정리하여 한 문장으로 쓰세요.

보기

| 제사 | 훔쳐 | 먹었다 | 영감은 | 음식을 |

다음 날   능텅 감투를 쓴 채 집으로 달아나 그날부터 제사를

지내는 집만 찾아다니며

.

한 편 쓰기

3
단계

1과 **2**에서 쓴 내용을 넣어 이야기 「능텅 감투」를 읽고 요약한 내용을 쓰세요.

❶ _____

_____

_____

❷ 다음 날 _____

_____

_____

1 다음 문장에서 밑줄 그은 낱말을 바르게 고쳐 쓰세요.

낱말
고쳐쓰기

옛날, 한 영감이 산속에서 길을 <u>잊고</u> 무덤 옆에서 잠을 자게 되었는데, 무덤 속에서 귀신들이 나왔어.

잊 고 → ☐ ☐

2 다음 문장에서 밑줄 그은 부분을 바르게 고치고, 문장을 따라 쓰세요.

문장
고쳐쓰기

제사 음식을 실컷 먹고, 날이 <u>박짜</u> 능텅 감투를 <u>쓴채</u> 집으로 달아났어.

 힌트 '박짜'는 '밤이 지나고 환해지며 새날이 오자.'라는 뜻의 낱말을 소리 나는 대로 쓴 것이에요. 이미 있는 상태 그대로 있다는 뜻을 나타내는 '채'는 혼자서는 쓸 수 없는 낱말로, 앞에 오는 다른 낱말과 함께 써야 하고 쓸 때에는 앞말과 띄어 써야 해요.

↓

제	사	V	음	식	을	V	실	컷	V	먹
고	,	날	이	V		V	능	텅	V	감
투	를	V		V		V	집	으	로	V	달
아	났	어	.							

▶정답 및 해설 4쪽

1
주

● 다음은 「능텅 감투」의 뒷이야기예요. 잘 읽고, 빈칸에 알맞은 내용을 보기 에서 각각 골라 써넣어 요약하는 글을 완성하세요.

능텅 감투 뒷이야기

어느 날, 영감이 집에 돌아와 보니 능텅 감투가 불에 홀랑 타서 재만 남아 있지 뭐야. 그런데도 영감은 미련을 버리지 못하고 옷을 벗고 능텅 감투의 재를 온몸에 바른 다음, 제사 음식을 또다시 훔쳐 먹으러 나섰어. 능텅 감투는 태워도 능텅 감투라 아무도 영감을 못 봤어.

영감은 상갓집에 들어가 마음 놓고 제사상에 놓인 음식을 집어 먹었어. 그런데 정신없이 먹다 보니 손에 바른 재가 벗겨지고 말았어. 제사를 지내는 사람들은 재가 벗겨진 손바닥이 보이자 그 손을 낚아챈 다음, 영감의 몸에 바른 재를 모두 닦아 냈어. 영감은 제사 음식을 훔쳐 먹은 죄로 그 자리에서 얻어맞고 동네에서도 쫓겨나고 말았어.

▽**상갓집** 사람이 죽어 장례를 치르는 집.

↓

어	느	V	날	,		능	텅	V	감	투	의	V
재	를	V	온	몸	에	V	바	른	V	❶		
	V	❷				에	V	들	어	가	V	❸
				V				V				V
			V				V					

보기

부인은   영감은   상갓집   부잣집

제사 음식을 실컷 먹고 신나서 노래를 불렀다.

제사 음식을 훔쳐 먹다 들켜서 창피를 당했다.

힌트 ❶에는 인물을, ❷에는 배경을, ❸에는 사건을 써넣어야 해요.

기행문 읽고 요약하기

밤톨
네, 네, 술술 님!

기찬
기행문을 읽으면 나도 여행 가고 싶어질 것 같아~!

달래
나도, 나도!

친구들! 오늘은 기행문을 읽고, 요약하는 공부를 할 거예요. 준비됐나요?

I 😊 입력

여정, 견문, 감상을 찾아 정리해라!

기행문은 여행의 과정이나 일정인 여정을 적고, 여행하며 보거나 들은 견문과,

여행하며 든 생각이나 느낌인 감상을 적은 글이에요.

따라서 기행문을 읽고 요약할 때에는 여정, 견문, 감상을 찾아 정리해요.

▶ 정답 및 해설 5쪽

● 사다리 타기를 하여 도착한 곳의 낱말을 따라 쓰며, 기행문을 읽고 요약하는 방법을 알아보아요.

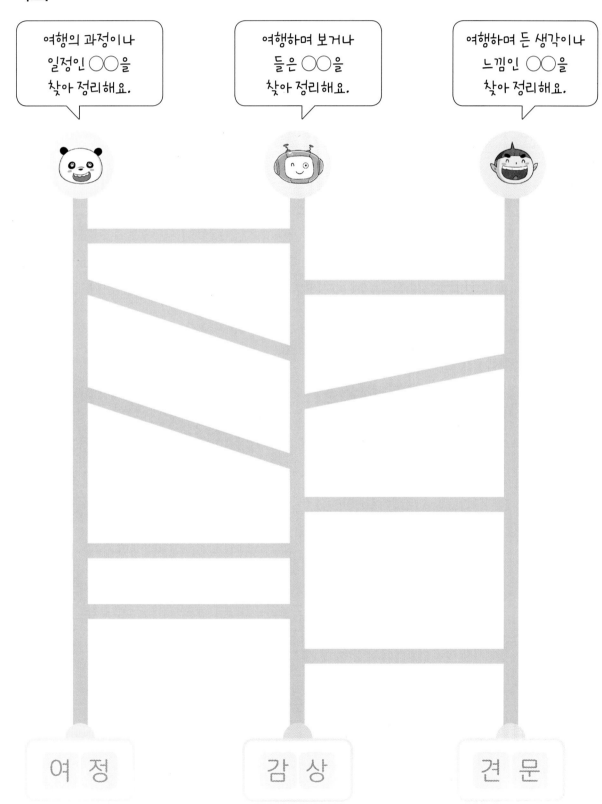

여행의 과정이나
일정인 ○○을
찾아 정리해요.

여행하며 보거나
들은 ○○을
찾아 정리해요.

여행하며 든 생각이나
느낌인 ○○을
찾아 정리해요.

여 정   감 상   견 문

4일 기행문 읽고 요약하기

○ 다음 기행문을 읽고, 요약해서 쓰세요.

해인사를 다녀와서

화창한 봄날, 우리 가족은 해인사로 여행을 떠났다. 해인사에 있는 팔만대장경을 직접 보고 싶었기 때문이다. 책에서만 보던 팔만대장경을 직접 볼 수 있다고 생각하니 기대되고 설레는 마음이 들었다. 아빠께서 운전하시는 차를 타고 두 시간 남짓 달리자 해인사에 도착했다.

우리는 가장 기대했던 팔만대장경이 있는 장경판전으로 향했다. 팔만대장경은 아주 오래전에 만들어졌지만 지금까지 잘 보존되어 있었다. 지나가던 스님께서 장경판전은 대장경을 보관하기 위하여 통풍이 잘되는 구조로 설계되었다고 말씀해 주셨다. 그 말씀을 듣고 우리 조상들이 정말 슬기롭다고 생각했다.

팔만대장경의 섬세함과 정교함을 자랑스럽게 느끼며 집으로 돌아왔다.

▲ 해인사

▲ 팔만대장경

어휘 풀이

▼**남짓** 크기, 수, 부피 따위가 어느 한도보다 조금 더 되는 정도.
　예 내 생일은 아직 한 달 남짓 남았다.

▼**통풍**|통할 통 通, 바람 풍 風| 바람이 통함. 또는 그렇게 함.
　예 한옥은 통풍이 잘되어 여름에 시원하다.

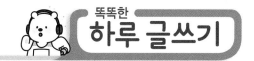

▶정답 및 해설 5쪽

낱말 쓰기

1 단계 다음은 「해인사를 다녀와서」를 읽고, 여정과 견문을 찾아 정리한 것이에요. 빈칸에 알맞은 낱말을 각각 쓰세요.

▲ 해인사에 있는 **팔만대장경**

| ㅎ | ㅇ | ㅅ | 에 가서 | ㅍ | ㅁ | ㄷ | ㅈ |

ㄱ 을 보았는데, 팔만대장경을 보관하는 장경판전은 통풍이 잘되는 구조로 설계되었다는 사실을 들었다.

문장 쓰기

2 단계 보기 에서 알맞은 내용을 골라 **1** 에서 답한 여정과 견문에 대한 감상을 한 문장으로 정리하여 쓰세요.

> 보기
>
> 슬기롭다   조상들이   자랑스럽게   자연스럽게

우리 　　　　　　　　　　　　　　　　　　　　　　　　고 생각했고, 집으로 돌아

오며 팔만대장경의 섬세함과 정교함이 　　　　　　　　　　　　　　느껴졌다.

한 편 쓰기

3 단계 **1** 과 **2** 에서 쓴 내용을 바탕으로 기행문 「해인사를 다녀와서」를 읽고 요약한 내용을 쓰세요.

> ❶ _____
>
> 보았는데, 팔만대장경을 보관하는 장경판전은 통풍이 잘되는 구조로 설계되었다
>
> 는 사실을 들었다. ❷ 우리 _____
>
> _____
>
> _____

▶ 정답 및 해설 5쪽

1 다음 문장에서 밑줄 그은 낱말을 바르게 고쳐 쓰세요.

낱말
고쳐쓰기

> 책에서만 보던 팔만대장경을 직접 볼 수 있다고 생각하니 기대되고 <u>설래는</u> 마음이 들었다.
>
> 설 래 는 → ☐ ☐ ☐

2 다음 문장에서 밑줄 그은 부분의 띄어쓰기를 바르게 고치고, 문장을 따라 쓰세요.

문장
고쳐쓰기

이 문장에서 '시간'은 단위를 나타내는 말이므로 앞말과 띄어 써야 해요. '남짓'은 혼자서는 쓸 수 없는 낱말로, 앞에 오는 다른 낱말과 함께 써야 하고 쓸 때에는 앞말과 띄어 써야 해요.

힌트

아빠께서 운전하시는 차를 타고 <u>두시간남짓</u> 달리자 해인사에 도착했다.

↓

아	빠	께	서	V		운	전	하	시	는	V
차	를	V	타	고	V		V			V	
	V	달	리	자	V	해	인	사	에	V	도
착	했	다	.								

● 다음 기행문을 읽고, 요약해서 쓰세요.

용두암을 다녀와서

제주도 여행 마지막 날, 우리 가족은 제주 공항으로 가는 길에 용두암을 보러 갔다.

용두암은 이름 그대로 용의 머리를 닮은 바위였다. 아빠께서는 용이 되어 하늘로 올라가는 것이 소원이던 한 마리의 백마가 장수의 손에 잡힌 후, 그 자리에서 바위로 굳어졌다는 용두암 전설도 이야기해 주셨다. 용두암을 보며 용두암을 빚어 낸 바람과 파도가 훌륭한 조각가 같다고 생각했다.

용두암을 배경으로 이번 여행의 마지막 기념사진을 찍고, 비행기를 타러 공항으로 향했다.

▲ 용두암

↓

제주 공항으로 가는 길에 ❶ ☐☐☐ 을 보러 갔다. 이름 그대로 용의 머리를 닮은 ❷ ☐☐ 를 보았다. 용이 되어 하늘로 올라가는 것이 소원이던 백마가 장수의 손에 잡힌 후 바위로 굳어졌다는 용두암 ❸ ☐☐ 도 들었다. 용두암을 빚어 낸 바람과 파도가 훌륭한 ❹ ☐☐☐ 같다고 생각했다.

힌트 ❶에는 여정을, ❷에는 본 것을, ❸에는 들은 것을,
❹에는 생각하거나 느낀 것을 써야 해요.

5일 전기문 읽고 요약하기

인물이 한 일을 찾아 정리해라!

전기문은 인물의 삶을 사실에 근거해 쓴 글이에요.

전기문에는 인물이 살았던 시대 상황과 인물이 한 일 등이 나타나요.

전기문을 읽고 요약할 때에는 인물이 살았던 시대 상황 속에서

인물이 한 일을 차례대로 찾아 정리해요.

◉ 전기문을 읽고 요약하는 방법에 맞게 빈칸에 알맞은 말을 쓰고, 퍼즐판에서 찾아 ◯표를 하세요.

❶ 전 기 문 은 인물의 삶을 사실에 근거해 쓴 글이에요.

전기문에는 인물이 살았던 ❷ ☐☐ 상황과 인물이 한 일 등이 나타나요.

한	강	시	대
일	전	금	머
정	기	치	리
장	문	어	발

전기문을 읽고 요약할 때에는 인물이 살았던 시대 상황 속에서 인물이 ❸ ☐☐ 을 차례대로 찾아 정리해요.

● 다음 전기문을 읽고, 요약해서 쓰세요.

의사, 장기려

(가) 한 환자가 장기려를 찾아왔다.

"모레가 퇴원인데 입원비가 없습니다."

장기려는 고민 끝에 이렇게 말했다.

"내가 밤에 뒷문을 살짝 열어 둘 테니 몰래

퇴원 준비를 하고 기다리세요. 빨리 나가서

농사를 지어야 진료비를 갚을 거 아닙니까?"

(나) '가난한 환자를 무료로 치료하면서 병원을 계속 운영할 수 없을까?'

이와 같은 고민을 하던 장기려는 채규철을 만나 그 답을 찾게 되었다.

"제가 덴마크에서 공부할 때 크게 아파 병원에 간 적이 있어요. 그런데 진료비가 무료라

는 거예요."

"그러면 병원은 어떻게 운영이 되나요?"

"그 나라 사람들은 평소에 의료 보험비를 내요. 적은 돈이지만 여러 사람이 내니까 병원

이 아픈 사람들을 무료로 치료해 줄 만큼은 되지요."

"옳지! 아프지 않을 때 조금씩 낸 보험비로 아픈 사람을 돕고, 자신도 아프면 도움을 받

는다는 것이군. 채 선생, 우리가 그 일을 해 봅시다."

그렇게 1968년, 723명을 모아 우리나라 최초의 의료 보험 조합인 청십자 의료 보험 조

합이 출발하게 되었다.

🐭 **어휘 풀이**

▼**보험**|보전할 보 保, 험할 험 險|　미래의 재해나 질병 등에 대하여 금전적 보상을 받기 위해 정해진 기간

동안 일정한 돈을 납부해 적립해 두는 제도. 예 엄마께서는 암 보험에 가입하셨다.

▼**조합**|짤 조 組, 합할 합 合|　일정한 목적을 위해 둘 이상의 사람이나 집단이 함께 조직한 단체.

예 농민들이 뜻을 모아 조합을 결성하였다.

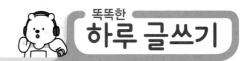
낱말 쓰기

1 단계 다음 대화를 읽고, 장기려가 한 일이 무엇인지 빈칸에 알맞은 낱말을 쓰세요.

 모레가 퇴원인데 입원비가 없습니다.

 뒷문을 살짝 열어 둘 테니 몰래 퇴원 준비를 하고 기다리세요.

의사 장기려는 입원비가 없는 환자를 몰래 ⬜ ⬜ 으로 내보냈다.

문장 쓰기

2 단계 보기 에서 알맞은 내용을 골라 장기려가 한 일을 한 문장으로 쓰세요.

> **보기**
>
> 보험   의료   조합을   청십자   설립했다

우리나라 최초의 의료 보험 조합인

                                          .

한 편 쓰기

3 단계 **1**과 **2**에서 쓴 내용을 넣어 전기문 「의사, 장기려」를 읽고 요약한 내용을 쓰세요.

	❶의	사	∨	장	기	려	는	∨	
∨			∨				∨		∨
				∨	내	보	냈	고 ,	❷우	리
나	라	∨	최	초	의	∨		∨		∨
		∨				∨		∨	
	∨				∨				

1 낱말 고쳐쓰기

다음 문장의 밑줄 그은 낱말 대신 바꿔 쓰기에 알맞은 낱말을 보기 에서 골라 쓰세요.

> 보기
>
> 치료비   진찰비   진찰료

빨리 나가서 농사를 지어야 <u>진료비</u>를 갚을 거 아닙니까?

→ 빨리 나가서 농사를 지어야 ☐☐☐ 를 갚을 거 아닙니까?

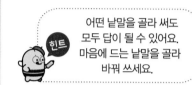

힌트 어떤 낱말을 골라 써도 모두 답이 될 수 있어요. 마음에 드는 낱말을 골라 바꿔 쓰세요.

2 문장 고쳐쓰기

낱말 만큼 에 대한 설명을 잘 읽어 보세요. 그런 다음 문장에서 밑줄 그은 부분의 띄어쓰기를 바르게 고치고, 문장을 따라 쓰세요.

> 만큼
>
> • 형태가 바뀌는 낱말 가운데에서 '-는/-을/-던'과 같이 '-ㄴ/-ㄹ'로 끝나는 말 뒤에서는 띄어 써요. 예 노력한∨만큼 / 볼∨만큼
> • 사람이나 사물의 이름을 나타내는 낱말이나, 수를 나타내는 낱말 뒤에서는 붙여 써요. 예 달만큼 / 하나만큼

병원이 아픈 사람들을 무료로 치료해 <u>줄만큼은</u> 되지요.

↓

병	원	이	∨	아	픈	∨	사	람	들	을	∨
무	료	로	∨	치	료	해	∨		∨		
	∨	되	지	요	.						

▶ 정답 및 해설 6쪽

● 다음은 「의사, 장기려」의 뒷이야기예요. 잘 읽고, 요약해서 쓰세요.

의사, 장기려 뒷이야기

"박사님, 이번에 막사이사이상 수상자가 되신 걸 축하드립니다."

"막사이사이상이라니?"

그 상은 동양의 노벨상이라고 할 수 있는 권위 있는 상이었다. 장기려가 가난하고 병든 사람들을 위해 복음 병원을 만들고 청십자 의료 보험 조합을 만들어 사회에 봉사해 온 것을 외국 사람들이 높게 평가하여 상을 주기로 결정한 것이었다.

그러나 1979년 필리핀, 상을 받는 자리에서 장기려는 전혀 기쁘지 않았다.

'병원에서는 환자들이 나를 찾고 있을 텐데, 나는 상을 받는답시고 여기에 와 있다니…….'

필리핀에서 돌아오자마자 장기려는 상금을 청십자 의료 보험 조합에 모두 기부했다.

↓

		의	사		장	기	려	는					

힌트 장기려가 한 일이 무엇인지 찾아 정리하면
쉽게 요약할 수 있답니다.

생활 어휘   다음 만화를 보며 속담의 뜻을 알아보고, 상황에 맞게 속담을 써 보세요.

강물도 쓰면 준다

속담의 뜻을 알아봐요!

강물도 쓰면 준다

이 속담은 "굉장히 많은 강물도 쓰면 준다는 뜻으로,

풍부하다고 하여 함부로 헤프게

쓰지 말라는 말."이랍니다.

이제 이 속담을 넣어 상황에 맞게 써 볼까요?

" ☐☐☐☐☐☐

☐ "더니 스케치북을 어제 샀는데 헤프

게 썼더니 한 장밖에 안 남았다.

● 밤톨이가 인형극을 보러 가려고 해요. 미로를 빠져나가 공연장에 무사히 도착할 수 있도록 뜻에 알맞은 낱말이 제시된 길을 찾아 선으로 이어 보세요.

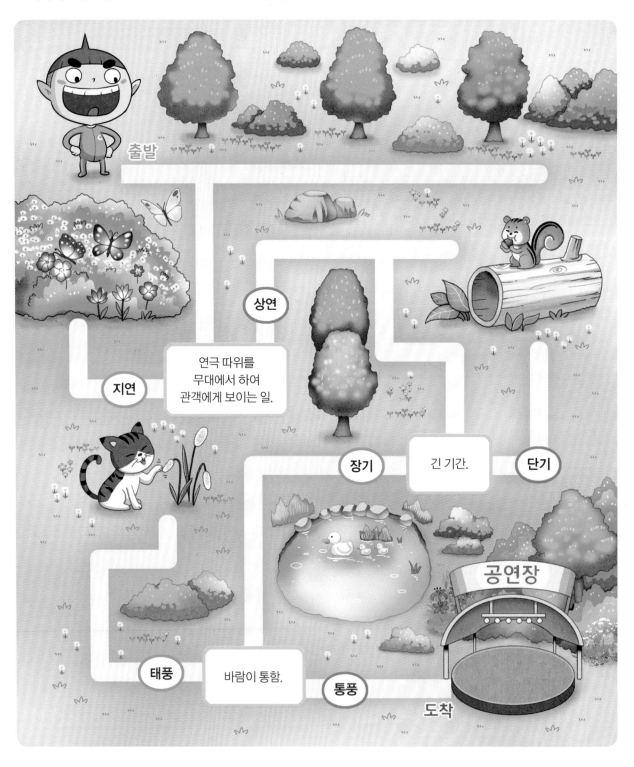

출발

상연

연극 따위를 무대에서 하여 관객에게 보이는 일.

지연

장기   긴 기간.   단기

태풍   바람이 통함.   통풍

공연장

도착

창의   1주에 쓰인 **낱말과 그 뜻**을 익히며 미로를 빠져나가 봅니다.

▶ 정답 및 해설 7쪽

1
주

● 채민이는 주장하는 글 「잠을 충분히 자야 해요」를 읽고, 잠을 충분히 자기로 다짐했어요. 다음 그림을 보고, 채민이가 잠을 잔 시간을 계산하여 빈칸에 숫자로 쓰세요.

 채민이가 잠을 잔 시간은 총 [ ] 시간이에요.

융합
국어+수학
주장하는 글 「잠을 충분히 자야 해요」를 읽고 요약한 내용을 떠올리며 채민이가 **잠을 잔 시간을 계산**해 봅니다.

● 다음은 이야기 「능텅 감투」의 한 장면이에요. 그림을 잘 보고, 숨어 있는 그림 다섯 개를 찾아 모두 ○표를 하세요.

숨어 있는 그림   신발, 연필, 바나나, 삼각자, 잠자리

 창의   이야기 「능텅 감투」를 읽고 요약한 내용을 떠올리며 **숨어 있는 그림**을 모두 찾아 봅니다.

● 「의사, 장기려」에 나오는 장기려 선생님은 의사가 없는 마을에 가서 사람들을 치료해 주시 기도 했대요. 아픈 사람이 있는 집을 찾아갈 수 있도록 코딩 명령의 빈칸에 알맞은 숫자를 쓰고 화살표의 방향을 그려 넣으세요.

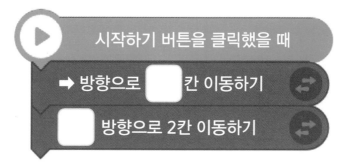

 코딩 전기문 「의사, 장기려」를 읽고 요약한 내용을 떠올리며 아픈 사람을 찾아갈 수 있도록 **코딩 명령**을 완성 해 봅니다.

1 요약에 대한 설명으로 알맞은 말을 골라 ○표를 하세요.

> 요약은 말이나 글에서 중요한 것을 골라 (길게 , 짧게) 만드는 것을 말해요.

[2~3] 다음 글을 읽고, 물음에 답하세요.

> (가) 인형극이란 나무나 ㉠형겁, 종이 따위로 만든 인형을 움직여 무대 위에서 ㉡상연하는 연극입니다. 인형극은 인형을 조종해 공연하는 방식에 따라 줄 인형극, 손 인형극, 그림자 인형극으로 나뉩니다.
>
> (나) 줄 인형극은 인형의 머리, 손, 발 등에 줄을 ㉢매달아 표현하는 인형극입니다. 인형에 매달린 줄을 이용해 매우 정교한 움직임이 가능하지만 다루기가 어려워 공연을 하기 위해서는 전문적인 기술이 필요합니다.

2 ㉠~㉢ 중 잘못 쓴 낱말을 골라 기호를 쓰세요.

( )

3 다음은 문단 (나)에서 중요한 내용을 찾아 정리한 것이에요. 빈칸에 들어갈 낱말을 골라 ○표를 하세요.

> ☐ 인형극은 인형의 머리, 손, 발 등에 줄을 매달아 표현하는 인형극입니다.

(손 , 줄 , 그림자)

[4~5] 다음 글을 읽고, 물음에 답하세요.

> 공부할 시간이 부족해서, 그렇지 않으면 더 오래 놀고 싶어서 잠자는 시간을 줄여 본 적이 있나요? 하지만 잠이 보약이라는 말이 있듯이 잠을 충분히 자야 해요.
>
> 잠이 부족하면 학습 능력이 낮아져요. 잠을 자는 동안에 뇌에서는 낮에 있었던 일이나 공부한 것이 장기 기억으로 바뀌어 저장돼요. 그래서 잠이 부족하면 배운 내용을 오래 기억할 수 없게 되는 거예요.

4 이와 같은 글을 읽고 요약할 때에 찾아 정리해야 하는 것을 두 가지 고르세요.

( )

① 감상 ② 견문
③ 근거 ④ 여정
⑤ 주장

글쓰기

5 이 글을 읽고 요약할 때, 빈칸에 알맞은 문장을 보기 에서 골라 쓰세요.

> 보기
>
> 잠을 충분히 자야 해요.
>
> 잠을 줄여 공부해야 해요.

> _____
>
> _____ 왜냐하면 잠이 부족하면 학습 능력이 낮아지기 때문이에요.

▶ 정답 및 해설 8쪽

[6~7] 다음 글을 읽고, 물음에 답하세요.

> 옛날, 한 영감이 산속에서 길을 잃고 무덤 옆에서 잠을 자게 되었는데, 무덤 속에서 귀신들이 나왔어.
>
> 귀신들은 머리에 쓰면 사람들 눈에는 보이지 않게 되는 능텅 감투를 영감 머리에 씌워 주고는 따라오라고 했어.
>
> 영감은 귀신들과 함께 제사를 지내는 집에 들어가 제사 음식을 실컷 먹고, 날이 ㉠박짜 능텅 감투를 쓴 채 집으로 달아났어.
>
> 그날부터 영감은 능텅 감투를 쓰고 제사를 지내는 집만 찾아다니며 제사 음식을 훔쳐 먹었어.

6 ㉠을 바르게 고쳐 쓴 것은 무엇인가요?

( )

① 박자 　　　② 발자
③ 밝자 　　　④ 밝짜
⑤ 발짜

글쓰기

7 이 이야기를 읽고 요약할 때, 빈칸에 알맞은 말을 글에서 각각 찾아 쓰세요.

> 옛날, 산속 무덤 옆에서 잠을 자던 영감에게 무덤 속 귀신들이 머리에 쓰면 사람들 눈에는 보이지 않게 되는 ☐☐ ☐☐ 를 씌워 주고는 함께 제사 음식을 먹으러 갔다. 다음 날 영감은 능텅 감투를 쓴 채 집으로 달아나 그날부터 제사를 지내는 집만 찾아다니며 ☐☐☐ ☐을 훔쳐 먹었다.

[8~9] 다음 글을 읽고, 물음에 답하세요.

> 우리는 가장 기대했던 팔만대장경이 있는 장경판전으로 향했다. 팔만대장경은 아주 오래전에 만들어졌지만 지금까지 잘 보존되어 있었다. 지나가던 스님께서 장경판전은 대장경을 보관하기 위하여 통풍이 잘되는 구조로 설계되었다고 말씀해 주셨다. 그 말씀을 듣고 ㉠우리 조상들이 정말 슬기롭다고 생각했다.

8 글쓴이가 본 것은 무엇인지 글에서 찾아 다섯 글자로 쓰세요.

( )

9 ㉠은 어떤 내용에 해당하는지 골라 ◯표를 하세요.

(여정 , 견문 , 감상)

10 알맞게 띄어 쓴 문장을 골라 ◯표를 하세요.

(1) 병원이∨아픈∨사람들을∨무료로∨치료해∨줄만큼은∨되지요. ( )

(2) 병원이∨아픈∨사람들을∨무료로∨치료해∨줄∨만큼은∨되지요. ( )

2주에는 무엇을 공부할까? ❶

달래 너, 내일까지 독서 감상문 숙제 내야 하는 거 잊었어?

금방 하지! 책을 읽게 된 까닭이랑 책 내용, 생각이나 느낌을 차례대로 쓰면 끝 아냐?

게다가 저번에 읽은 『이순신』으로 쓸 거라서 책은 새로 안 읽어도 돼.

전기문을 읽고 독서 감상문을 쓰는구나.

그럼 설명이 좀 필요하겠네.

같은 독서 감상문인데 전기문을 읽고 쓰면 뭐가 달라?

아니, 비슷해. 먼저 전기문을 읽게 된 까닭을 쓰고,

에이, 그건 기본이지.

그리고 책 내용을 쓰는 부분에 인물이 한 일이나 인물의 가치관을 써야 하지.

가치관?

'가치관'은 사람이 어떤 행동이나 일을 선택하고 실천하는 데 바탕이 되는 생각을 말해. 즉, 이순신은 무엇을 중요하게 생각하는 인물이었는지 쓰는 거지.

전기문을 읽고
독서 감상문을
써 보자!

1일   전기문을 읽게 된 까닭 쓰기

2일   인물이 한 일 쓰기

3일   인물의 가치관 쓰기

4일   인물에게 본받을 점 쓰기

5일   전기문을 읽고 독서 감상문 쓰기

1-1 전기문을 읽고 독서 감상문을 쓸 때에 인물이 한 일을 쓰는 방법으로 알맞은 것에 모두 ○표를 하세요.

(1) 인물이 세상에 남긴 업적은 무엇인지 쓴다. ( )

(2) 인물이 어떤 존경받을 만한 일을 하였는지 쓴다. ( )

(3) 인물과 관련하여 평소에 궁금했던 점이 무엇이었는지 쓴다. ( )

1-2 전기문을 읽고 쓴 독서 감상문에서 현호가 말한 내용은 어느 부분에 해당하는지 알맞은 것을 골라 ○표를 하세요.

조선 시대에 살았던 위인, 정약용이 당시 시대 상황에서 백성들에게 어떤 존경받을 만한 일을 하였는지 정리했어.

현호

전기문을 읽게 된 까닭	인물이 한 일
인물의 가치관	인물에게 본받을 점

▶ 정답 및 해설 9쪽

2-1 다음은 전기문을 읽고 독서 감상문을 쓸 때에 생각이나 느낌을 어떻게 쓰는지 정리한 것이에요. 알맞은 말에 ○표를 하세요.

인물의 삶과 자신의 삶을 비교해 보며 인물에게 (본받을 점 , 건의할 점)이나 앞으로의 다짐을 쓴다.

2-2 다음 중 전기문을 읽고 독서 감상문을 쓸 때, 인물에게 본받을 점을 알맞게 쓴 친구의 얼굴에 ○표를 하세요.

나는 마음이 맑고 깨끗하며 욕심이 없는 황희 정승의 모습을 본받고 싶다.

에디슨이 발명한 물건들에 대해 궁금해서 에디슨의 전기문을 읽게 되었다.

전기문을 읽게 된 까닭 쓰기

달래
글봇! 『이순신』은 어떻게 읽게 된 거야?

글봇
백 원짜리 동전을 보다가 이순신에 대해 더 알아보고 싶어져서 읽었지.

밤톨
난 만 원짜리 지폐에 그려진 세종 대왕의 전기문을 읽어 봐야겠다.

이번 주에는 전기문을 읽고 독서 감상문을 쓸 거예요. 자신이 읽은 전기문을 생각해 보고, 어떻게 해서 읽게 되었는지 떠올려 봐요.

독서 감상문에 전기문을 읽게 된 까닭을 써라!

위인의 삶을 사실대로 기록한 전기문을 읽고

독서 감상문을 쓸 때에는 전기문을 읽게 된 까닭과

인물이 한 일, 인물의 가치관, 인물에게 본받을 점 등을 쓰면 돼요.

그럼 먼저 책을 고른 까닭이나 인물에 대해 궁금했던 점 등을 떠올려

전기문을 읽게 된 까닭을 써 보세요.

● 그림에 맞는 퍼즐 모양을 찾아 ○표를 하고, 독서 감상문에 전기문을 읽게 된 까닭을 쓰는
방법에 맞게 빈칸에 들어갈 말을 알아보아요.

인물

친구

책을 고른
까닭이나
○○에 대해
궁금했던 점
등을 써요.

물건

 독서 감상문에 전기문을 읽게 된 까닭을 쓰는 방법을 생각하며 문장을 따라 쓰세요.

책	∨	표	지	에	∨	그	려	진	∨	거
북	선	의	∨	그	림	에	∨	흥	미	를	∨
느	껴	∨	이	순	신	의	∨	전	기	문	을	∨
읽	게	∨	되	었	다	.

전기문을 읽게 된 까닭 쓰기

● 다음 만화를 읽고, 독서 감상문에 들어갈 전기문을 읽게 된 까닭을 정리하여 쓰세요.

🐭 어휘 풀이

▼ **어린이날** 어린이의 행복을 위해 정한 기념일.

　　㉍ 5월 5일은 <u>어린이날</u>이다.

▼ **전기문** │전할 전 傳, 기록할 기 記, 글월 문 文│ 인물의 삶을 사실대로 기록한 글.

　　㉍ 세종 대왕의 <u>전기문</u>을 읽고 세종 대왕의 업적을 알게 되었다.

▼ **전집** │온전할 전 全, 모을 집 集│ 한 사람 또는 같은 시대나 같은 종류의 책을 한데 모아 출판한 책.

　　㉍ 혜미는 세계 문학 <u>전집</u>을 다 읽었을 정도로 책을 좋아한다.

▶ 정답 및 해설 9쪽

낱말 쓰기

1 달래가 전기문을 고른 까닭을 정리할 때, 빈칸에 알맞은 낱말을 각각 쓰세요.

(1) 어린이날에 선물을 받고, 어린이날이 만들어진 ㄲ ㄷ 이 궁금해졌다.

(2) 어린이날을 만든 ㅂ ㅈ ㅎ 의 전기문을 읽었다.

문장 쓰기

2 1의 내용을 바탕으로 달래가 전기문을 읽게 된 까닭을 두 문장으로 정리하여 쓰세요.

❶ 어린이날에 선물을 받고,

이 궁금해졌다.

❷ 의 전기문을 읽었다.

한 편 쓰기

3 2에서 완성한 문장을 넣어 독서 감상문에 들어갈 전기문을 읽게 된 까닭을 쓰세요.

	❶어	린	이	날	에	∨			∨	
,						∨				∨
		∨					.	❷그	래	
서	∨				∨		∨			
		∨					∨	읽	었	다	.

4단계 • **57**

▶ 정답 및 해설 9쪽

1
낱말
고쳐쓰기

다음 보기 를 참고하여 기찬이의 말에서 밑줄 그은 낱말을 바르게 고쳐 쓰세요.

보기

카페트
↓
카펫

힌트 외국에서 들어온 말을 한글로 쓸 때에는 정해진 규칙에 맞게 써야 해요. '로보트'도 보기 에서처럼 '트'를 빼고, 앞 글자에 'ㅅ' 받침을 넣어 써요.

로보트 장난감을 선물 받았어.

로보트
↓

☐ ☐

2
문장
고쳐쓰기

다음 달래의 말에서 밑줄 그은 부분의 띄어쓰기를 바르게 고치고, 문장을 따라 쓰세요.

너무 섭섭해 하지 마.
나랑 같이
전기문 읽자.

너	무	V					V	마	.
나	랑	V	같	이	V	전	기	문	V	읽	자	.

힌트 '섭섭해하다'는 '서운하고 아쉽다.'라는 뜻의 '섭섭하다'에 '-어하다'를 붙여 쓴 말이에요. 사물의 성질이나 상태를 나타내는 말 뒤에 '-어하다'가 오면 앞말과 붙여 써야 해요.

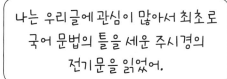

● 다음 친구들이 말한 내용을 읽고, 자신은 어떤 인물의 전기문을 왜 읽게 되었는지 쓰세요.

나는 우리 글에 관심이 많아서 최초로 국어 문법의 틀을 세운 주시경의 전기문을 읽었어.

슈바이처가 의사인 것은 알았지만 어떤 업적을 남겼는지는 잘 알지 못해서 슈바이처의 전기문을 읽었어.

주시경

알베르트 슈바이처

내 이름

❶ _____

_____

❷ _____의 전기문을 읽었다.

힌트 ❶에는 전기문을 왜 읽게 되었는지 쓰고, ❷에는 인물의 이름을 써야 해요. 위에 있는 친구들이 말한 내용을 이용하여 써도 돼요.

인물이 한 일 쓰기

전기문을 읽고 인물이 어떤 위대한 일을 하였는지 정리해 봐요.

달래
맞혀 봐! 라이트 형제는 무엇으로 유명한 형제일까요?

판판
의좋은 형제?

기찬
땡! 최초로 비행기를 만든 걸로 유명한 형제잖아.

당시 시대 상황에서 인물이 한 일을 써라!

전기문을 읽고 독서 감상문을 쓸 때에는

먼저 인물이 살았던 시대 상황을 살펴보아야 해요.

그다음에 당시 시대 상황에서 인물이 어떤 존경받을 만한 일을 하였는지,

세상에 남긴 업적은 무엇인지 생각하며 인물이 한 일을 써 봐요.

▶ 정답 및 해설 10쪽

사다리 타기를 하여 도착한 곳의 낱말을 따라 쓰며, 전기문을 읽고 쓰는 독서 감상문에 인물이 한 일을 쓰는 방법을 알아보아요.

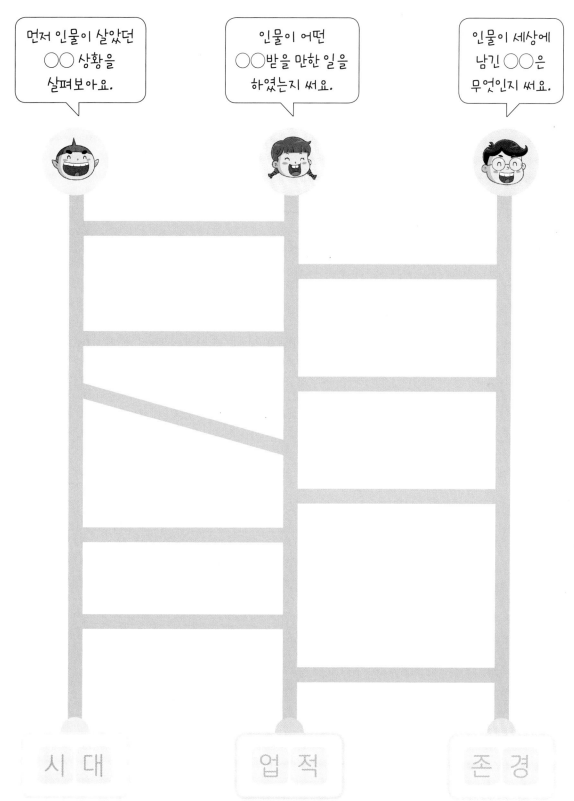

먼저 인물이 살았던 ○○ 상황을 살펴보아요.

인물이 어떤 ○○받을 만한 일을 하였는지 써요.

인물이 세상에 남긴 ○○은 무엇인지 써요.

시 대

업 적

존 경

● 다음 독서 감상문의 [　] 안에 들어갈 인물이 한 일을 쓰세요.

『김정호』를 읽고

지난 주말에 가족과 함께 국립과천과학관에 갔다가 대동여지도를 본 후, 집에 오자마자 김정호의 전기문을 찾아 읽었다. 그 당시에 이렇게 정교한 지도를 어떻게 만들 수 있었는지 궁금해졌기 때문이다.

김정호는 조선 시대에 많은 지도와 지리지를 남긴 학자이다. 당시에는 군, ▼현만 나타내는 지도만큼이나 자세하게 그려진 전국 지도가 없었다. 김정호는 주위 사람들의 도움을 받아 여러 가지 지도들을 구해 연구했다. 때로는 고을들을 직접 오가며 ▼지리 정보를 얻기도 했다. 마침내 김정호는 몇십 년의 피나는 노력 끝에

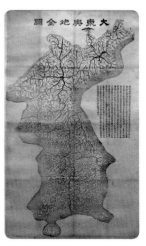

▲ 대동여지도

며칠씩이나 산과 들을 헤매며 사람들로부터 이상한 눈길을 받기도 했지만 김정호는 남들이 하지 않는 일에 도전하는 용기와 목표를 이루고자 하는 ▼집념으로 똘똘 뭉친 인물이었다. 결국 이러한 김정호의 노력 덕분에 백성들은 전보다 훌륭한 지도를 사용할 수 있었던 것이다.

나는 김정호의 전기문을 읽으며 힘든 일이 있을 때마다 쉽게 좌절하고 포기했던 나를 반성했다. 그리고 김정호의 도전 정신과 끈기를 본받아야겠다고 생각했다.

어휘 풀이

▼**현**|고을 현 縣| 삼국 시대에서 조선 시대까지 있었던 지방 행정 구역의 하나.

　　예 태조 왕건은 고려를 세운 뒤, 전국의 군과 현의 명칭을 바꾸었다.

▼**지리**|땅 지 地, 다스릴 리 理| 어떤 곳의 지형이나 길 따위의 모양.

　　예 길을 헤매다가 이곳 지리를 잘 아는 사람을 만나 무사히 목적지에 도착했다.

▼**집념**|잡을 집 執, 생각할 념 念| 한 가지 일에 매달려 마음을 쏟음. 또는 그 마음이나 생각.

　　예 승수는 옆 반과의 축구 시합에서 이기겠다는 집념으로 매일 연습을 했다.

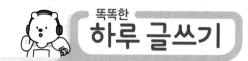
낱말 쓰기

김정호가 살았던 당시 시대 상황에 맞게 빈칸에 알맞은 낱말을 쓰세요.

좀 더 자세한 전국 지도가 있었으면……

당시에는 일부 지역만 나타내는 지도만큼이나 ㅈ ㅅ 하게 그려진 전국 지도가 없었다.

2주

문장 쓰기

1에서 답한 내용과 같은 상황에서 김정호가 했던 존경받을 만한 일을 정리하려고 해요. 빈칸에 알맞은 말을 **보기** 에서 골라 쓰세요.

보기

자세하고 정확한 지리 정보   아름답고 뛰어난 자연 경치

가 담겨 있

으면서도 휴대가 간편한 대동여지도를 만들어 냈다.

한 편 쓰기

2에서 완성한 문장을 넣어 전기문을 읽고 쓴 독서 감상문에 들어갈 인물이 한 일을 쓰세요.

김정호는 주위 사람들의 도움을 받아 여러 가지 지도들을 구해 연구했다. 때로는 고을들을 직접 오가며 지리 정보를 얻기도 했다. 마침내 김정호는 몇십 년의 피나는 노력 끝에 _____

_____

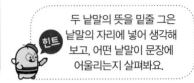
▶ 정답 및 해설 10쪽

1
낱말
고쳐쓰기

다음 문장에서 밑줄 그은 낱말을 뜻이 비슷한 낱말로 바꾸어 쓰려고 해요. 보기 에서 알맞은 낱말을 골라 빈칸에 쓰세요.

보기

시선 주의 또는 관심을 비유적으로 이르는 말.

시력 물체의 존재나 형상을 인식하는 눈의 능력.

힌트 두 낱말의 뜻을 밑줄 그은 낱말의 자리에 넣어 생각해 보고, 어떤 낱말이 문장에 어울리는지 살펴봐요.

김정호는 며칠씩이나 산과 들을 헤매며 사람들로부터 이상한 눈길을 받기도 했다.

눈 길 → ☐ ☐

2
문장
고쳐쓰기

다음 친구가 고쳐 쓴 문장 과 같이 밑줄 그은 말을 줄여 써 보고, 문장을 따라 쓰세요.

친구가 고쳐 쓴 문장

하늘은 <u>높고 푸르며</u> 땅은 탐스러운 곡식들로 가득하다.

하늘은 <u>높푸르며</u> 땅은 탐스러운 곡식들로 가득하다.

때로는 고을들을 직접 <u>오고 가며</u> 지리 정보를 얻기도 했다.

때	로	는	V	고	을	들	을	V	직	접	V
			V	지	리	V	정	보	를	V	얻
기	도	V	했	다	.						

힌트 '높다'와 '푸르다'를 합해 '높푸르다'라고 쓸 수 있는 것처럼 '오다'와 '가다'를 합해 '오가다'라고 쓸 수 있어요.

● 장영실의 전기문 일부분을 읽고, 독서 감상문에 인물이 한 일을 쓰려고 해요. 알맞은 말을 보기 에서 골라 빈칸에 쓰세요.

장영실은 어렸을 때부터 손재주가 뛰어나기로 유명했어요. 비록 노비의 신분이었지만 세종의 부름을 받고 벼슬까지 하였지요.
장영실은 세종의 곁에서 많은 발명품을 만들었어요. 해시계인 앙부일구, 물시계인 자격루를 만들어 백성들에게 시간을 알게

하였고, 백성들이 농사를 짓는 데 큰 도움을 주었지요.

	장	영	실	은			

보기

손재주가 뛰어난 인재를 뽑아서 자신의 옆에 두고 싶어 하였다.

해시계인 앙부일구, 물시계인 자격루를 만들어 백성들의 실생활에 큰 도움을 주었다.

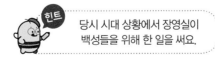

힌트 당시 시대 상황에서 장영실이 백성들을 위해 한 일을 써요.

3_일 인물의 가치관 쓰기

달래
나는 불의를 보면 절대 못 참겠어.

글봇
나라를 빼앗겼을 때 독립운동에 앞장섰던 위인들과 비슷한 가치관을 가졌구나.

달래
응, 그래서 숙제 빼먹고 놀러 나간 기찬이를 잡으러 가려고.

인물이 한 일은 잘 정리하였나요? 그럼 이제 인물이 한 일을 바탕으로 인물의 가치관도 정리해 보아요.

I 😊 입력

인물의 을 써라!

전기문을 읽고 독서 감상문을 쓸 때에는

인물이 한 일을 떠올리며 인물의 가치관도 정리할 수 있어요.

가치관이란 사람이 어떤 행동이나 일을 선택하고 실천하는 데

바탕이 되는 생각을 말해요.

인물의 말이나 행동을 통해 드러나는 인물의 가치관을 써 봐요.

◉ 전기문을 읽고 쓰는 독서 감상문에 인물의 가치관을 쓰는 방법에 맞게 빈칸에 알맞은 말을 쓰고, 퍼즐판에서 찾아 ○표를 하세요.

인물이 한 일을 떠올리며 인물의 ❶ □□□ 을 정리할 수 있어요.

인물이 어떤 행동이나 일을 선택하고 ❷ □□ 하는 데 바탕이 되는 생각을 쓰면 돼요.

실	열	교	수
천	정	편	지
연	가	치	관
행	동	제	목

인물의 말이나 ❸ □□ 을 통해 드러나는 인물의 가치관을 써요.

3일 인물의 가치관 쓰기

◉ 다음 만화를 읽고, 독서 감상문에 들어갈 인물의 가치관을 정리하여 쓰세요.

베토벤은 1770년, 독일의 본에서 태어났어요. 베토벤은 어려서부터 음악적 재능이 뛰어났어요.

하지만 베토벤은 어려운 형편 때문에 음악 공부를 제대로 할 수 없었어요.

다행히 주위의 도움으로 베토벤은 오스트리아의 빈으로 가서 공부할 수 있었지요.

작곡가로 이름이 알려질 무렵, 베토벤은 귓병이 심해져 소리를 듣지 못하게 되었어요.

베토벤은 삶을 포기하겠다는 생각으로 유서를 쓰기 시작했어요.

음악가가 소리를 듣지 못하다니……

하지만 이내 마음을 고쳐먹고 전보다 훨씬 더 열심히 작곡에 매달렸어요.

음악은 마음으로도 얼마든지 들을 수 있어. 포기하지 않을 거야.

그렇게 해서 베토벤은 「운명」, 「전원」, 「영웅」, 「합창」 같은 뛰어난 작품을 계속 발표했고, 오늘날까지 위대한 음악가로 손꼽히고 있답니다.

🐹 어휘 풀이

▼ **형편** | 형상 형 形, 편할 편 便 | 살림살이의 상태나 처지.

　예 아버지께서는 끼니조차 잇기 어려운 형편에서 자라셨다.

▼ **유서** | 남길 유 遺, 글 서 書 | 죽음에 이르러 남길 말을 적은 글.

　예 할머니께서는 모든 재산을 학교에 기부하겠다고 유서를 쓰셨다.

▼ **작곡** | 지을 작 作, 굽을 곡 曲 | 음악 작품을 창작하는 일. 또는 시나 가사에 가락을 붙이는 일.

　예 모차르트는 600여 곡의 작품을 작곡하였다.

낱말 쓰기

 1 단계

다음 그림을 보고, 귓병에 걸린 베토벤이 한 말과 행동을 정리하려고 해요. 빈칸에 알맞은 낱말을 각각 쓰세요.

> 포기하지 않고
> 더 노력해서 아름다운
> 음악을 만들어야지.

(1) 말: ┌─┬─┐ 하지 않고 더 노력해서 아름
　　　 │ㅍ│ㄱ│
　　　 └─┴─┘
　　 다운 음악을 만들겠다고 말했다.

(2) 행동: 더 열심히 ┌─┬─┬─┐ 를 치며
　　　　　　　　　 │ㅍ│ㅇ│ㄴ│
　　　　　　　　　 └─┴─┴─┘
　　 작곡을 했다.

2
주

문장 쓰기

 2 단계

1에서 답한 내용을 보고, 보기 의 말을 모두 이용하여 베토벤의 가치관을 한 문장으로 정리하세요.

> **보기**
>
> 삶　　　 않고　　　 노력하는　　　 포기하지

베토벤은 쉽게

을 사는 것을 중요하게 생각하였다.

한 편 쓰기

 3 단계

2에서 완성한 문장을 넣어 전기문을 읽고 쓴 독서 감상문에 들어갈 인물의 가치관을 쓰세요.

> 　베토벤은 귓병이 심해져 괴로워했지만 포기하지 않고 더 열심히 작곡에 매달렸다. 그 결과 「운명」, 「전원」, 「영웅」, 「합창」 같은 뛰어난 작품을 계속 발표할 수 있었다.
>
> 　베토벤은 _____
>
> _____

▶ 정답 및 해설 11쪽

1
낱말
고쳐쓰기

다음 문장의 밑줄 그은 낱말을 보기 에서 골라 바르게 고쳐 쓰세요.

보기

재대로　　　제대로　　　귓병　　　귑병

(1) 베토벤은 어려운 형편 때문에 음악 공부를 <u>제데로</u> 할 수 없었어요.

제 데 로 →　☐☐☐

귀가 들리지 않아!

(2) 베토벤은 <u>귀병</u>이 점점 심해져 소리를 듣지 못하게 되었어요.

귀 병 →　☐☐

2
문장
고쳐쓰기

다음 기찬이의 말에서 밑줄 그은 부분을 바르게 고치고, 문장을 따라 쓰세요.

베토벤은 <u>살믈</u> 포기하겠다는 마음을 <u>고쳐 먹고</u> 전보다 훨씬 더 열심히 작곡에 매달렸어요.

베	토	벤	은	V			V	포	기	하
겠	다	는	V	마	음	을	V			V
전	보	다	V	훨	씬	V	더	V	열	심	히	V
작	곡	에	V	매	달	렸	어	요	.	

힌트
베토벤이 포기하고 싶었던 것은 '삶'이에요. 그리고 '다른 마음을 가지거나 달리 생각하다.'라는 뜻의 '고쳐먹다'는 한 낱말이므로 붙여 써야 해요.

▶ 정답 및 해설 11쪽

● 책 『헬렌 켈러』를 읽고, 두 친구가 말한 내용을 참고하여 독서 감상문에 들어갈 헬렌 켈러의
가치관을 정리하여 쓰세요.

태어난 지 열아홉 달 된 헬렌 켈러는 열병을 앓고 나서 시력과 듣는 능력을 잃음.

여덟 살 때, 헬렌은 어둠 속에 갇힌 자신을 빛의 세계로 끌어내 줄 앤 설리번 선생님을 만남.

헬렌은 낱말과 사물의 관계를 깨닫고 글자를 통해 자기 생각을 전할 수 있게 됨.

헬렌은 희망을 버리지 않고 끊임없이 노력하여 말하는 법을 배움.

헬렌은 대학을 졸업하였고, 장애인을 돕는 활동을 하며 전 세계 장애인들에게 희망을 줌.

힌트 　인물이 한 일을 떠올리며 인물이 그 일을 하는 데 바탕이 된 생각은 무엇인지 정리해 봐요. 두 친구가 말한 내용이 모두 드러나도록 쓰면 좋아요.

헬렌 켈러는 쉽게 포기하지 않고 끊임없이 노력하는 것을 중요하게 여겼어.

헬렌 켈러는 어려운 처지에 있는 다른 사람을 도와주는 것을 중요하게 생각했구나.

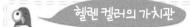
🦜 헬렌 켈러의 가치관

 인물에게 본받을 점 쓰기

인물에게 본받을 점을 써라!

전기문을 읽고 독서 감상문을 쓸 때에는

인물에게 본받을 점을 중심으로 자신의 생각이나 느낌을 써요.

인물의 삶과 자신의 삶을 비교해 보며

인물에게 본받을 점이나 앞으로의 다짐을 써 보아요.

▶ 정답 및 해설 12쪽

● 그림에 맞는 퍼즐 모양을 찾아 ○표를 하고, 전기문을 읽고 쓰는 독서 감상문에 들어가는 내용 중 어떤 내용에 해당하는지 알아보아요.

 독서 감상문에 인물에게 본받을 점을 쓰는 방법을 생각하며 문장을 따라 쓰세요.

나	는	V	자	신	이	V	가	진	V	것
을	V	나	누	고	V	베	푸	는	V	김	만
덕	의	V	따	뜻	한	V	마	음	을	V	본
받	고	V	싶	다	.

4일 인물에게 본받을 점 쓰기

◎ 다음 대화를 읽고, 독서 감상문에 들어갈 인물에게 본받을 점을 정리하세요.

얘들아, 뉴턴의 전기문 읽어 봤니?

우주의 모든 물체가 서로 잡아당기는 힘을 가지고 있다는 '만유인력의 법칙'을 발견한 과학자, 뉴턴?

우아, 뉴턴은 어떻게 그런 법칙을 발견한 거야?

사소한 일도 계속해서 질문을 던지고 연구했대. 그리고 결국 뉴턴은 '사과는 지구가 잡아당겨 떨어지는데 왜 달은 지구로 떨어지지 않는 걸까?'라는 질문의 답을 찾아낸 것이지.

모든 일을 깊이 생각해 보는 습관이 중요한 거였구나.

나도 뉴턴처럼 아무리 사소한 일이라도 그냥 넘기지 않고 깊이 생각해 봐야겠어.

어휘 풀이

▼ **만유인력**| 일만 만 萬, 있을 유 有, 끌 인 引, 힘 력 力　질량을 가지고 있는 모든 물체가 서로 잡아당기는 힘. 예) 만유인력의 법칙으로 물체가 아래로 떨어지는 현상을 설명할 수 있다.

▼ **사소**| 적을 사 些, 적을 소 少|**한**　보잘것없이 작거나 적은.
　　예) 나는 동생과 토끼 머리핀을 누가 할지 같은 <u>사소한</u> 문제로 잘 다툰다.

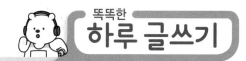

▶ 정답 및 해설 12쪽

낱말 쓰기

 뉴턴이 한 일과 뉴턴의 가치관을 정리한 것이에요. 빈칸에 알맞은 낱말을 각각 쓰세요.

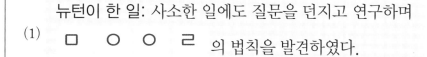

(1) 뉴턴이 한 일: 사소한 일에도 질문을 던지고 연구하며
　ㅁ　ㅇ　ㅇ　ㄹ　의 법칙을 발견하였다.

(2) 뉴턴의 가치관: 사소한 일이라도 ㄱ　ㅇ 생각하는 것을 중요하게 여겼다.

문장 쓰기

 1의 내용을 바탕으로 기찬이가 뉴턴의 삶과 자신의 삶을 비교하며 생각해 본 것을 정리하세요.

나는 지금까지 주변의 일에 대해 주의 깊게 생각해 본 적이 별로 없었는데…….

나는 뉴턴과 달리, 지금까지 주변의 일들을

　　　　　이 별로 없었다.

한 편 쓰기

 1과 **2**의 내용을 바탕으로 독서 감상문에 들어갈 인물에게 본받을 점을 완성하세요.

나는 뉴턴과 달리, ❶ _____

_____ 별로 없었다. 앞으로 ❷ _____

_____ 뉴턴의 모습을 본받아야겠다.

▶ 정답 및 해설 12쪽

1
낱말
고쳐쓰기

두 낱말의 뜻과 예를 보고, 문장의 밑줄 그은 낱말을 바르게 고쳐 쓰세요.

> **발명** 아직까지 없던 기술이나 물건을 새로 생각하여 만들어 냄.
> ㉠ 전화기의 발명은 인간의 삶에 많은 변화를 가져왔다.
>
> **발견** 미처 찾아내지 못하였거나 아직 알려지지 아니한 사물이나 현상, 사실 따
> 위를 찾아냄. ㉠ 옷장 밑에서 언니의 연필을 발견하였다.

 뉴턴은 우주의 모든 물체가 서로 잡아당기는 힘을 가지
고 있다는 '만유인력의 법칙'을 발명하였다.

발 명 →

2
문장
고쳐쓰기

다음 문장에서 밑줄 그은 부분의 띄어쓰기를 바르게 고치고, 문장을 따라 쓰세요.

> 뉴턴은 '사과는 지구가 잡아당겨 떨어지는데 왜 달은 지구로 떨어지지 않는 걸
> 까?' 라는 질문의 답을 찾아내었다.

↓

뉴	턴	은	∨	'	사	과	는	∨	지	구
가	∨	잡	아	당	겨	∨	떨	어	지	는	데	∨
왜	∨	달	은	∨	지	구	로	∨	떨	어	지
지	∨	않	는	∨						∨
질	문	의	∨	답	을	∨	찾	아	내	었	다	.

 힌트 '−라는'은 '−라고 하는'이 줄어든 말로, 앞말과 붙여
써야 해요. 문장 부호의 위치도 생각해 보며
빈칸에 글자를 바르게 써 보아요.

● 다음은 책 『안중근』을 읽고 쓴 독서 감상문이에요. 보기 에서 인물에게 본받을 점이 잘 드러난 문장을 한 가지 골라 독서 감상문을 완성해 보세요.

『안중근』을 읽고

우연히 보게 된 방송 프로그램에서 안중근이 나라의 독립을 위해 자신의 목숨을 바치는 모습을 보고 감동을 받아 그의 전기문을 찾아 읽게 되었다.

일본에게 나라를 빼앗긴 후, 안중근은 일본에 대항하는 운동에 앞장섰다. 동포들에게 민족의식을 가르치고 일본군에 직접 맞서 싸우기도 했다. 그리고 마침내 우리나라를 빼앗는 일에 누구보다도 앞장섰던 이토 히로부미의 가슴에 총을 쏜 그는 태극기를 꺼내 들고 외쳤다고 한다.

"대한 독립 만세! 대한 독립 만세!"

안중근은 목숨을 바칠 정도로 나라를 사랑했고, 자신의 안전보다는 모두의 안위를 중요하게 생각하였다.

보기

나도 앞으로 불의에 끝까지 저항했던 안중근의 굳은 의지와 용기를 본받아야겠다.

나도 안중근을 본받아, 이웃을 생각하고 더 나아가 나라를 사랑하는 마음을 가져야겠다고 다짐했다.

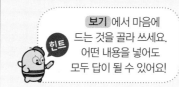

힌트 보기 에서 마음에 드는 것을 골라 쓰세요. 어떤 내용을 넣어도 모두 답이 될 수 있어요!

5일 전기문을 읽고 독서 감상문 쓰기

밤톨
나도 『안데르센』을 읽고 독서 감상문 써야지.

글봇
근데 너 안데르센이 지은 「미운 아기 오리」나 「성냥팔이 소녀」는 읽어 봤어?

밤톨
아니, 전기문보다 동화부터 읽어야겠네. 헤헤.

이제 전기문을 읽고 독서 감상문을 쓸 수 있겠지요? 저는 '동화의 아버지', 안데르센의 전기문을 읽고 독서 감상문을 써 볼 거예요.

전기문을 읽고 한 편의 독서 감상문을 써라!

전기문을 읽고 독서 감상문을 쓸 때에는

전기문을 읽게 된 까닭을 먼저 쓰고,

책 내용에 인물이 한 일, 인물의 가치관을 쓴 다음,

인물에게 본받을 점 등을 정리해서 책을 읽은 생각이나 느낌을 써요.

각각의 내용이 자연스럽게 이어지도록 한 편의 독서 감상문을 완성해 보아요.

● 전기문을 읽고 쓰는 독서 감상문에 들어가야 할 내용을 생각하며, 빈칸에 알맞은 말을 따라 써 보세요.

전 기 문 을 읽고 독서 감상문을 쓸 때에는 전기문을 읽게 된 까 닭 , 인물이 한 일 , 인물의 가 치 관 , 인물에게 본 받 을 점 등을 써야 해요.

2주

● 위에서 따라 쓴 말을 모두 찾아 색칠해 보고, 어떤 모양이 나오는지 알아보아요.

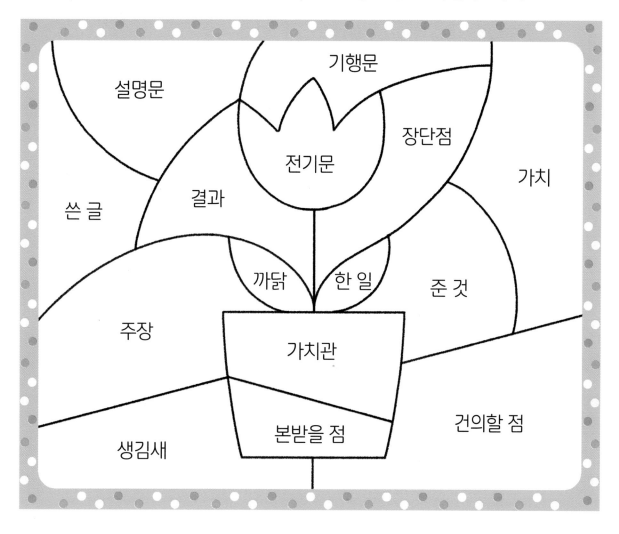

5일 전기문을 읽고 독서 감상문 쓰기

● 다음 석주명의 전기문 일부분을 읽고, 독서 감상문을 쓰세요.

석주명은 스물한 살 때 선생님의 권유로 조선의 나비를 연구하기 시작했어요. 당시 일제 강점기 상황에서 일본 학자가 쓴 오류투성이 곤충 도감을 보고는 조선의 나비에 대한 내용을 새로 써야겠다고 다짐했지요. 나비 채집에만 몰입하는 그를 사람들이 뒤에서 손가락질했지만 석주명은 아랑곳하지 않고 밥 먹는 시간도 아껴 가며 나비 연구에 힘썼다고 해요. 그 결과 석주명은 일본 학자들이 만든 곤충 도감에서 잘못된 부분을 학계에 발표하고, 몇백 개나 되는 엉터리 나비 이름을 없앨 수 있었지요. 그렇게 피땀 흘려 노력한 끝에 석주명은 국제적으로 인정받는 나비 학자가 되었어요.

어휘 풀이

▼ **도감** | 그림 도 圖, 거울 감 鑑 |　그림이나 사진을 모아 실물 대신 볼 수 있도록 엮은 책.

　　㉠ 뒷산에서 본 식물을 도감에서 찾아보았다.

▼ **몰입** | 잠길 몰 沒, 들 입 入 |　깊이 파고들거나 빠짐.

　　㉠ 바이올린 연주자는 자신의 연주에 몰입한 듯 보였다.

▼ **아랑곳**　일에 나서서 참견하거나 관심을 두는 일.

　　㉠ 수호는 매서운 추위에도 아랑곳하지 않고 열심히 달리기 연습을 했다.

낱말 쓰기

1 현서가 독서 감상문에 전기문을 읽게 된 까닭을 정리할 때, 빈칸에 알맞은 낱말을 쓰세요.

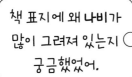

책 표지에 왜 **나비**가 많이 그려져 있는지 궁금했었어.

현서

책 표지에 ㄴ ㅂ 가 많이 그려져 있는 까닭이 궁금해서 석주명의 전기문을 읽게 되었다.

문장 쓰기

2 독서 감상문에 인물이 한 일과 인물의 가치관을 정리하려고 해요. 빈칸에 알맞은 말을 보기 에서 각각 골라 쓰세요.

보기

한 가지 일에 몰입하는   조선의 나비 연구에만

몰입해 일본

❶ 한 일: 학자들이 만든 곤충 도감에서 잘못된 부분을 바로잡았고, 세계적인 나비 학자가 되었다.

나라를 사랑하고, 목표를 이루기 위해

❷ 가치관: 것을 중요하게 생각했다.

한 편 쓰기

3 **1**과 **2**에서 답한 내용을 바탕으로 인물에게 본받을 점을 보기 에서 선택하여 쓰세요.

보기

나는 나비 연구로 나라 사랑의 길을 몸소 실천한 석주명을 본받고 싶다.

나도 한 가지 일에 몰입하여 자신의 분야에서 최고가 된 석주명을 본받아야겠다.

▶정답 및 해설 13쪽

1 다음 문장에서 밑줄 그은 말을 보기 에서 골라 고쳐 보고, 낱말을 빈칸에 바르게 쓰세요.

낱말
고쳐쓰기

보기

－질   '그 신체 부위를 이용한 어떤 행위'의 뜻을 더하는 말.

－투성이   '그것이 너무 많은 상태' 또는 '그런 상태의 사물, 사람'의 뜻을 더하는 말.

사람들은 나비 채집에만 몰입하는 석주명을 뒤에서 손가락짓했어요.

손가락짓 →

2 다음 문장에서 밑줄 그은 부분의 띄어쓰기를 바르게 고치고, 문장을 따라 쓰세요.

문장
고쳐쓰기

그렇게 피땀흘려 노력한 끝에 석주명은 국제적으로 인정 받는 나비 학자가 되었어요.

↓

그	렇	게	V			V			V	노
력	한	V	끝	에	V	석	주	명	은	V	국
제	적	으	로	V				V	나	비	V
학	자	가	V	되	었	어	요	.		

힌트

'피땀 흘리다'는 '온갖 힘과 정성을 쏟아 노력하다.'라는 뜻이고,
'인정받다'는 '확실히 그렇다고 여김을 받다.'라는 뜻이에요.
낱말의 띄어쓰기를 잘 살펴보고 빈칸에 써 봐요.

◉ 자신이 읽은 전기문을 떠올려 보거나 다음 인물들이 한 일을 참고하여 한 편의 독서 감상문을 써 보세요.

세종 대왕은 독창적이고 과학적인 우리 고유의 문자, 훈민정음을 만들고 학자들과 함께 수많은 과학 기구를 만들어 백성들의 삶에 도움을 주었다.

교사였던 파브르는 학교가 쉬는 날이면 들과 산으로 나가 곤충을 관찰하고 연구하기를 즐겼다. 그리고 곤충의 생태와 습성 등까지도 상세하게 기록한 『곤충기』를 남겼다.

책 제목	
책을 읽게 된 까닭	
책 내용	• 인물이 한 일 • 인물의 가치관
생각이나 느낌	• 인물에게 본받을 점

힌트 책 제목을 쓴 후에 전기문을 왜 읽게 되었는지 써요.
인물이 한 일과 인물의 가치관을 쓰며 책 내용을 정리해 보고,
인물에게 어떤 점을 본받고 싶은지 생각이나 느낌을 써 봐요.

생활 어휘 다음 만화를 보며 속담의 뜻을 알아보고, 상황에 맞게 속담을 써 보세요.

호랑이도 제 말 하면 온다

2
주

속담의 뜻을 알아봐요!

호랑이도 제 말 하면 온다

이 속담은 "<u>어느 곳에서나 그 자리에 없다고</u>
<u>남을 흉보아서는 안 된다.</u>"라는 뜻이랍니다.

이제 이 속담을 넣어 상황에 맞게 써 볼까요?

" ⬚ ⬚ ⬚ ⬚ ⬚ ⬚

⬚ ⬚ ⬚ ⬚ "더니 현수 이야

기를 꺼내자마자 현수가 나타났다.

● 준수는 이순신 공원에서 한산 대첩이 벌어졌던 바다를 보기 위해 전망대에 가려고 해요. 뜻에 알맞은 낱말을 찾아 따라 쓰며 전망대까지 가는 길을 선으로 이어 보세요.

 창의 2주에 나왔던 **낱말과 그 뜻**을 익히며 전망대까지 가는 길을 찾아 봅니다.

▶ 정답 및 해설 14쪽

● 장영실이 한 일을 떠올리며 다음 대화와 관련된 장영실의 발명품을 찾아 ○표를 하세요.

2주

(1) (   )   (2) (   )   (3) (   )

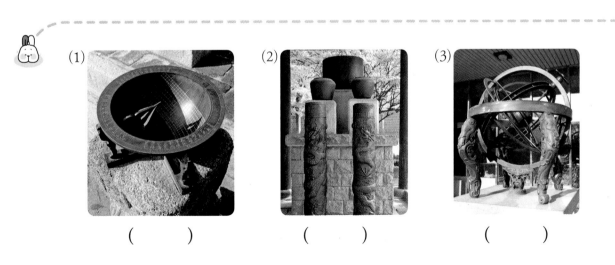

융합
국어+사회   세종 대왕과 장영실의 대화를 살펴보며 **앙부일구의 모양과 원리**를 알아봅니다.

● 친구들이 전기문을 읽고 인물에게 본받을 점을 찾아 생활 속에서 실천하려고 해요. 친구들이 하려는 행동과 관련 있는 인물을 찾아 보고 빈칸에 이름을 각각 쓰세요.

비록 귀는 들리지 않지만 음악 만드는 일을 절대 포기하지 않을 거야.

▲ 베토벤

전 재산으로 산 곡식을 굶주리는 사람들에게 나누어 주어야지.

▲ 김만덕

(1)

☐☐☐ 을 본받아 어려운 처지에 있는 이웃을 도울 거예요.

(2)

내가 하는 일에 시련과 고난이 찾아와도 포기하지 않고 ☐☐☐ 처럼 끝까지 노력할 거예요.

 창의 인물이 어떤 존경받을 만한 일을 하였는지 생각해 보고, **친구들이 한 행동과 관련 있는 인물**을 찾아 이름을 써 봅니다.

▶정답 및 해설 14~15쪽

● 석주명 선생님께서 나비를 채집하려고 해요. 나비를 모두 채집하며 집에 도착할 수 있도록 코딩 카드에 알맞은 숫자를 쓰세요.

| ❶ ↓ 1 칸 | ❷ → 칸 | ❸ ↓ 칸 | ❹ → 칸 |

 코딩 나비를 모두 채집할 수 있도록 **코딩 카드**를 **완성**해 봅니다.

1 다음에서 밑줄 그은 부분은 어떤 글을 말하는 것인지 빈칸에 알맞게 쓰세요.

> 위인의 삶을 사실대로 기록한 글을 읽고 독서 감상문을 쓸 수 있다.

ㅈ	ㄱ	ㅁ

2 독서 감상문에 들어갈 다음 내용 중 전기문을 읽게 된 까닭과 관련된 것에 ○표를 하세요.

(1) 어린이날에 선물을 받고, 어린이날이 만들어진 까닭이 궁금해졌다. 그래서 어린이날을 만든 방정환의 전기문을 읽었다. ( )

(2) 방정환은 나라를 빼앗긴 어두운 현실 속에서도 어린이들이 꿈과 희망을 잃지 않았으면 하는 마음에서 어린이날을 만들었다. ( )

[3~4] 다음은 독서 감상문의 일부분이에요. 잘 읽고, 물음에 답하세요.

> 당시에는 군, 현만 나타내는 지도만큼이나 자세하게 그려진 전국 지도가 없었다. 김정호는 주위 사람들의 도움을 받아 여러 가지 지도들을 구해 연구했다. 때로는 고을들을 직접 오가며 지리 정보를 얻기도 했다. 마침내 김정호는 몇십 년의 피나는 노력 끝에 자세하고 정확한 지리 정보가 담겨 있으면서도 휴대가 간편한 대동여지도를 만들어 냈다.

▲ 대동여지도

3 김정호가 살았던 당시 시대에 볼 수 없었던 것을 골라 ○표를 하세요.

(1) 군, 현만 나타낸 지도 ( )

(2) 자세하게 그려진 전국 지도 ( )

글쓰기
4 김정호가 한 일은 무엇인지 빈칸에 알맞은 말을 보기 에서 골라 문장을 완성하고, 따라 쓰세요.

> 보기
> 휴대   자세

		하	고	V	정	확
하	며	V			하	기	V
편	한	V	대	동	여	지	도
를	V	만	들	었	다	.

[5~6] 다음은 독서 감상문의 일부분이에요. 잘 읽고, 물음에 답하세요.

> 베토벤은 ㉠ 이 심해져 괴로워했지만 포기하지 않고 더 열심히 작곡에 매달렸다. 그 결과 「운명」, 「전원」, 「영웅」, 「합창」 같은 뛰어난 작품을 계속 발표할 수 있었다.

5 ㉠ 안에 들어갈 말을 바르게 쓴 것에 ○표를 하세요.

(귀병 , 귓병)

6 독서 감상문에 쓸 베토벤의 가치관을 알맞게 말한 친구의 이름에 ○표를 하세요.

> 베토벤은 쉽게 포기하지 않고 노력하는 삶을 중요하게 생각했어.

> 베토벤은 어려움에 처한 다른 사람을 도와주는 것이 중요하다고 생각했어.

달래

기찬

[7~8] 다음은 독서 감상문의 일부분이에요. 잘 읽고, 물음에 답하세요.

(가) 일본에게 나라를 빼앗긴 후, 안중근은 일본에 대항하는 운동에 앞장섰다. 동포들에게 민족의식을 가르치고 일본군에 직접 맞서 싸우기도 했다. 그리고 마침내 우리나라를 빼앗는 일에 누구보다도 앞장섰던 이토 히로부미의 가슴에 총을 쏜 그는 태극기를 꺼내 들고 외쳤다고 한다.

"대한 독립 만세! 대한 독립 만세!"

(나) 나도 안중근을 본받아, 이웃을 생각하고 더 나아가 나라를 사랑하는 마음을 가져야겠다고 다짐했다.

7 안중근이 한 일로 알맞지 <u>않은</u> 것에 ×표를 하세요.

(1) 일본군에 직접 맞서 싸웠다. ( )

(2) 동포들에게 민족의식을 가르쳤다.

( )

(3) 다른 나라를 빼앗기 위해 앞장섰다.

( )

글쓰기

8 이 글의 글쓴이가 본받고자 하는 안중근의 마음은 무엇인지 빈칸에 알맞은 말을 이 글에서 각각 찾아 쓰세요.

> 이웃을 생각하고, 더 나아가 [   ]를
>
> [   ] 마음

9 다음 문장에서 알맞은 말을 골라 ○표를 하세요.

> 나비 채집에만 몰입하는 그를 사람들이 뒤에서 손가락질했지만 석주명은 (아랑곳하고 , 아랑곳하지 않고) 밥 먹는 시간도 아껴 가며 나비 연구에 힘썼다고 해요.

10 전기문을 읽고 독서 감상문을 알맞게 쓴 친구의 이름을 쓰세요.

> 서윤: 글쓴이가 전기문을 쓴 까닭이 잘 드러나도록 썼어.
>
> 재훈: 전기문을 읽게 된 까닭, 인물이 한 일, 인물의 가치관, 인물에게 본받을 점 등의 내용이 자연스럽게 이어지도록 썼어.

( )

팟!

지잉~

밤톨이 너, 왜 텔레비전을 끄고 그래?

에너지를 아끼자는 내용의 공익 광고를 만들어 봤더니 에너지를 아끼는 일을 실천하고 싶어졌어.

그렇다고 친구가 보고 있는 텔레비전을 끄는 건 에너지를 아끼기 위한 올바른 해결 방법이 아니지 않을까?

앗, 그건 미안해. 하지만 텔레비전을 보는 대신 독서를 하는 건 어때?

독서를 하자는 내용의 공익 광고네.

같은 말을 반복해 사용해서 독서를 하자는 주장이 와 닿네. 하지만 나는 책보다는 스마트폰이 좋아.

나는 대나무의 잎이 더 좋아~.

그럴 줄 알고 스마트폰 사용을 줄이자는 내용의 공익 광고도 만들어 봤지!

광고문을 써 보자!

1일 공익 광고문 쓰기 ①

2일 공익 광고문 쓰기 ②

3일 공익 광고문 쓰기 ③

4일 상품 광고문 쓰기 ①

5일 상품 광고문 쓰기 ②

1-1 다음 중 스마트폰 사용을 줄이자는 내용의 공익 광고문을 쓰는 방법으로 알맞지 <u>않은</u> 것에 ×표를 하세요.

(1) 스마트폰 사용을 줄이자는 주장이 잘 드러나게 쓴다.

(   )

(2) 스마트폰을 다른 대상에 빗대어 표현해 볼 수도 있다.

(   )

(3) 스마트폰의 과도한 사용으로 인해 생기는 문제점은 쓰지 않는다. (   )

1-2 다음 판판의 말은 어떤 내용의 공익 광고문을 쓰는 방법인지 빈칸에 알맞은 말을 쓰세요.

스마트폰의 과도한 사용으로 인해 생기는 문제점과 스마트폰 사용을 줄이자는 주장이 잘 드러나야 해!

ㅅ ㅁ ㅌ ㅍ 사용을 줄이자는 내용의

공익 광고문

▶정답 및 해설 16쪽

2-1 다음 중 자전거를 팔기 위한 상품 광고문을 쓰는 방법에 대해 바르게 말한 친구의 이름을 쓰세요.

(   )

2-2 자전거를 팔기 위한 상품 광고문을 쓰는 방법에 맞게 빈칸에 알맞은 낱말을 각각 쓰세요.

자전거의 기능을 실제보다 부풀려 ㄱ ㅈ 하거나 없는 기능을 있는 것처럼

ㅎ ㅇ 로 설명하면 안 된다.

공익 광고문 쓰기 ①

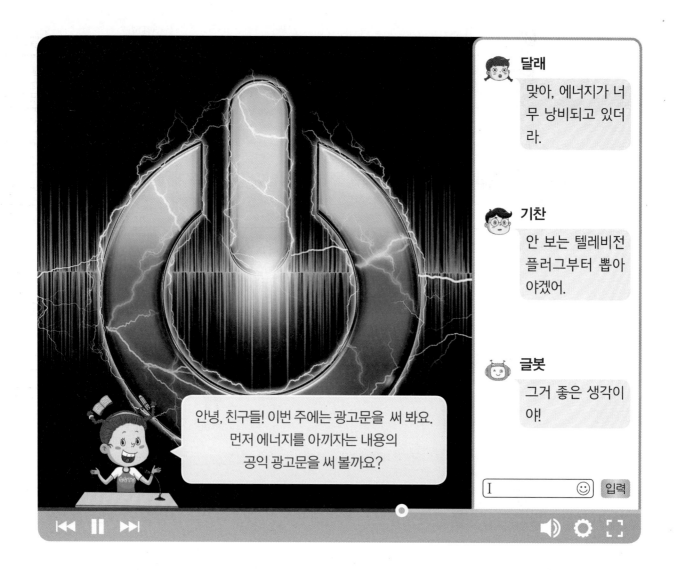

에너지를 아끼자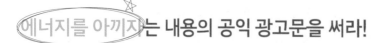는 내용의 공익 광고문을 써라!

공익 광고는 국가나 사회 전체의 이익을 목적으로 만든 광고예요.

에너지를 아끼자는 공익 광고문을 쓸 때에는

에너지가 낭비되고 있는 문제 상황과

이러한 문제 상황을 해결할 수 있는 방법이 잘 드러나게 써요.

● 사다리 타기를 하여 도착한 곳의 낱말을 따라 쓰며, 에너지를 아끼자는 내용의 공익 광고문을 쓰는 방법을 알아보아요.

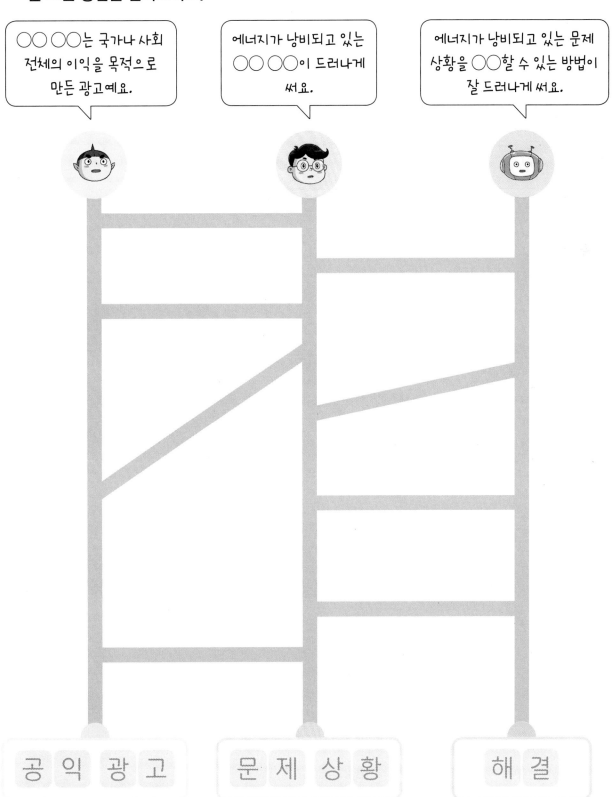

○○ ○○는 국가나 사회 전체의 이익을 목적으로 만든 광고예요.

에너지가 낭비되고 있는 ○○ ○○이 드러나게 써요.

에너지가 낭비되고 있는 문제 상황을 ○○할 수 있는 방법이 잘 드러나게 써요.

공 익 광 고

문 제 상 황

해 결

○ 다음 만화를 읽고, 빈칸에 들어갈 알맞은 말을 써넣어 에너지를 아끼자는 내용의 공익 광고문을 완성해 쓰세요.

에너지를 낭비하면 온실가스 배출량이 늘고, 지구가 더워진대.

지구가 더워지면 빙하가 녹는 등 많은 문제가 생긴다던데?

뭐? 그럼 우리 에너지를 아끼자는 공익 광고를 만들어 보자!

에너지를 아끼면 지구가 웃습니다

작은 실천이, 지구를 웃게 합니다.

🐭 **어휘 풀이**

▼ **온실**|따뜻할 온 溫, 집 실 室|**가스**   지구 밖으로 나가는 열을 흡수하여 지구의 온도를 높게 유지하는 작용인 온실 효과를 일으키는 가스를 통틀어 이르는 말. 이산화 탄소, 메탄 등의 가스를 말함. 예 온실가스를 줄여야 한다.

▼ **빙하**|얼음 빙 氷, 강물 하 河| 수백 수천 년 동안 쌓인 눈이 얼음덩어리로 변하여 그 자체의 무게로 압력을 받아 이동하는 현상. 또는 그 얼음덩어리.

▲ 빙하

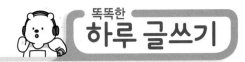
낱말 쓰기

1
단계

다음 글봇의 말을 읽고, 공익 광고문에 들어갈 문제 상황으로 알맞은 말을 빈칸에 쓰세요.

에너지를 낭비하면 온실가스가 더 많이 배출된대!

에너지 ㄴ ㅂ , ㅇ ㅅ ㄱ ㅅ 배출의 주범입니다.

문장 쓰기

2
단계

1에 나타난 문제 상황을 해결할 수 있는 방법 두 가지를 쓰려고 해요. 보기 에서 알맞은 말을 각각 골라 두 문장으로 정리하여 쓰세요.

보기

플러그는 뽑아   모니터는 버려

적당히 유지해 주세요   최대한 조심해 주세요

(1)   사용하지 않는 전자 제품의   주세요.

(2)   실내 온도는   .

한 편 쓰기

3
단계

1과 **2**에서 쓴 내용을 넣어 에너지를 아끼자는 내용의 공익 광고문을 완성해 쓰세요.

에너지를 아끼면 지구가 웃습니다

❶ _____

❷ _____

❸ _____

작은 실천이, 지구를 웃게 합니다.

1 밑줄 그은 낱말을 바르게 고쳐 빈칸에 쓰세요.

낱말
고쳐쓰기

(1) 온실가스 <u>배출양</u>이 늘었다.

↓

(2) <u>구름량</u>이 많고 날이 흐리다.

↓

 힌트
> 분량이나 수량을 나타내는 말인 '양'과 '량'은 고유어나 외래어 뒤에서는 '양'으로, 한자어 뒤에서는 '량'으로 써요. '배출'은 한자어이고, '구름'은 고유어인 것에 주의해요.

2 다음 친구가 고쳐 쓴 문장 과 같이 알맞은 말을 넣어 문장을 고치고, 따라 쓰세요.

문장
고쳐쓰기

┌─ 친구가 고쳐 쓴 문장 ─┐

지구가 <u>덥어지면</u> 빙하가 녹는다.

↓

지구가 <u>더워지면</u> 빙하가 녹는다.

 힌트
> '덥다'와 '춥다'에 '-어지다'가 붙으면, 'ㅂ'이 없어지고 '더워지다', '추워지다'로 써요.

날	이	∨	춥	어	지	면	∨	두	꺼	운	∨

옷	을	∨	입	는	다	.					

↓

날	이	∨					∨	두	꺼	운	∨

옷	을	∨	입	는	다	.					

● 다음 그림과 글을 보고, 빈칸에 들어갈 말로 알맞은 것을 보기 에서 골라 쓰세요.

어두울 때 더 맑아집니다

전기 에너지를 만들 때에 이산화 탄소가 배출되어
환경 오염의 원인이 되고 있다는 사실, 알고 계신가요?

더 어두울 때, 하늘은 더 맑아집니다.

보기

쓰지 않는 불을 끄면 환경이 살아납니다.

쓰지 않는 불을 끄는 작은 실천이
환경 보호의 첫걸음이 됩니다.

힌트   전기 에너지가 낭비되어 이산화 탄소가 많이
배출되고 있는 문제 상황에 대한 해결 방법이
나타나야 해요. 어떤 내용을 넣어도 모두
답이 될 수 있어요.

공익 광고문 쓰기 ②

달래
독서를 하면 새로운 정보를 알 수 있어서 좋아!

기찬
독서를 통해서 실제로 겪기 힘든 일들을 간접적으로 경험할 수 있는 것도 좋아.

밤톨
너희 얘기를 들으니 책이 읽고 싶어져. 그 말이 잘 드러나게 공익 광고문을 써 볼게!

I 😊 입력

오늘은 독서를 하면 좋은 까닭을 생각해 독서를 하자는 내용의 공익 광고문을 써 봐요.

독서를 하자는 내용의 공익 광고문을 써라!

독서를 하자는 공익 광고문을 쓸 때에는,

사람들을 설득할 수 있도록 독서를 하면 좋은 까닭을 써서

독서를 하자는 주장이 잘 드러나게 광고문을 써요.

광고문을 쓸 때에는 자신의 주장을 효과적으로 표현하기 위해

같은 말을 반복하여 사용할 수도 있어요.

◉ 독서를 하자는 내용의 공익 광고문을 쓰는 방법에 맞게 빈칸에 알맞은 말을 쓰고, 퍼즐판에서 찾아 ○표를 하세요.

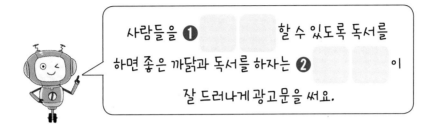

사람들을 ❶ ☐ ☐ 할 수 있도록 독서를 하면 좋은 까닭과 독서를 하자는 ❷ ☐ ☐ 이 잘 드러나게 광고문을 써요.

비	밀	화	병
창	설	득	실
십	시	일	반
주	장	기	복

광고문을 쓸 때에는 자신의 주장을 효과적으로 표현하기 위해 같은 말을 ❸ ☐ ☐ 하여 사용할 수도 있어요.

공익 광고문 쓰기 ②

● 다음 공익 광고를 보고, ⃞ ㉠ ⃞ 과 ⃞ ㉡ ⃞ 안에 들어갈 말을 각각 써넣어 독서를 하자는 내용의 공익 광고문을 완성해 쓰세요.

읽으면 보입니다

책을 읽으면 과거의 지혜가 보입니다.

㉠

책을 읽으면 미래의 청사진이 보입니다.

읽으면, 볼 수 있습니다.

㉡

🐹 **어휘 풀이**

▼**과거**|지날 과 過, 갈 거 去| 이미 지나간 때. ㉤ 우리는 <u>과거</u>에 함께 여행을 간 기억을 떠올렸다.

▼**청사진**|푸를 청 靑, 베낄 사 寫, 참 진 眞| 미래에 대한 희망적인 계획이나 구상.
 ㉤ 내가 반장이 되고 난 후의 <u>청사진</u>을 그려 보았다.

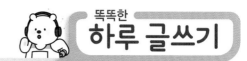

▶정답 및 해설 17쪽

낱말 쓰기

1 단계

<u>　㉠　</u> 안에 독서를 하면 좋은 까닭이 잘 드러나게 광고문을 쓰려고 해요. 다음 달래의 말을 읽고, 빈칸에 알맞은 낱말을 쓰세요.

이 광고는 '보입니다'라는 표현을 반복해 전달하고자 하는 말을 강조했어.

책을 읽으면 현재의 삶이 　ㅂ　ㅇ　ㄴ　ㄷ　.

문장 쓰기

2 단계

<u>　㉡　</u> 안에 독서를 하면 좋은 까닭을 정리하여 광고문을 쓰려고 해요. 보기 의 낱말들을 모두 사용해 빈칸에 알맞은 문장을 완성해 쓰세요.

보기

| 과거와 | 창 | 미래를 | 보는 | 현재 |

독서, 우리의 　　　　　　　　　　,

　　　　　　　　　　입니다.

한 편 쓰기

3 단계

1과 **2**에서 쓴 내용을 넣어 독서를 하자는 내용의 공익 광고문을 완성해 쓰세요.

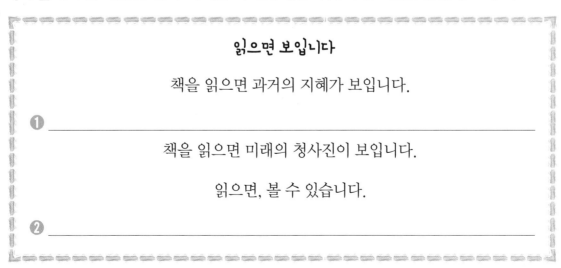

읽으면 보입니다

책을 읽으면 과거의 지혜가 보입니다.

❶ _____

책을 읽으면 미래의 청사진이 보입니다.

읽으면, 볼 수 있습니다.

❷ _____

▶ 정답 및 해설 17쪽

1 다음 두 낱말의 뜻과 예를 보고, 문장의 밑줄 그은 낱말을 각각 바르게 고쳐 쓰세요.

낱말
고쳐쓰기

> 일다 없던 현상이 생기다. ㉎ 바람이 <u>일어</u> 나뭇가지가 흔들렸다.
>
> 읽다 글을 보고 거기에 담긴 뜻을 헤아려 알다. ㉎ 아빠께서 신문을 <u>읽으신다</u>.

(1) 파도가 심하게 <u>읽어</u> 해수욕장 출입
이 금지되었습니다.

(2) 책을 <u>일으면</u> 과거의 지혜가 보입
니다.

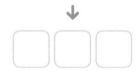

2 다음 밑줄 그은 부분을 바르게 고치고 문장을 따라 쓰세요.

문장
고쳐쓰기

채글 읽으면 현재의
살미 보입니다.

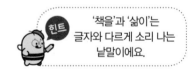
힌트 '책을'과 '삶이'는
글자와 다르게 소리 나는
낱말이에요.

		V	읽	으	면	V	현	재	의	V
		V	보	입	니	다	.			

▶정답 및 해설 17쪽

● 다음 공익 광고를 보고, 보기 에서 알맞은 말을 골라 써넣어 독서를 하자는 내용의 공익 광고문을 완성해 쓰세요.

독서,
더 넓은 세계로 건너가는 징검다리입니다

책만 펴면 우리는 어디든 갈 수 있습니다.
마법 세계로 건너갈 수도 있고,

괴물들이 사는 마을로 건너갈 수도 있습니다.

책은 우리에게 더 넓은 세상을 보여 주는 징검돌입니다.

보기

몇백 년 전 세계로 건너갈 수도 있고,

말하는 동물이 사는 세상으로 건너갈 수도 있고,

힌트 반복되는 표현을 살펴보며 독서를 하자는 공익 광고문을 완성해 쓰세요. 두 가지 중 어떤 답을 골라 써도 모두 답이 될 수 있어요.

공익 광고문 쓰기 ③

기찬
스마트폰은 빠져나 올 수 없는 늪 같아.

글봇
스마트폰을 다른 대상에 빗대어 잘 표현했네!

기찬
그래? 이 표현을 넣어 공익 광고문 을 써 봐야겠다.

오늘은 스마트폰 사용을 줄이자는 내용의 공익 광고문을 써 봐요. 스마트폰을 다른 대상에 빗대어 표현해 보는 것도 재미있을 거예요.

스마트폰 사용을 줄이자는 내용의 공익 광고문을 써라!

스마트폰 사용을 줄이자는 공익 광고문을 쓸 때에는

스마트폰의 과도한 사용으로 인해 생기는 문제점을 쓰고,

스마트폰 사용을 줄이자는 주장이 잘 드러나게 써요.

이때, 스마트폰을 다른 대상에 빗대어 표현해 볼 수도 있어요.

● 사다리 타기를 하여 도착한 곳의 낱말을 따라 쓰며, 스마트폰 사용을 줄이자는 내용의 공익
광고문을 쓰는 방법을 알아보아요.

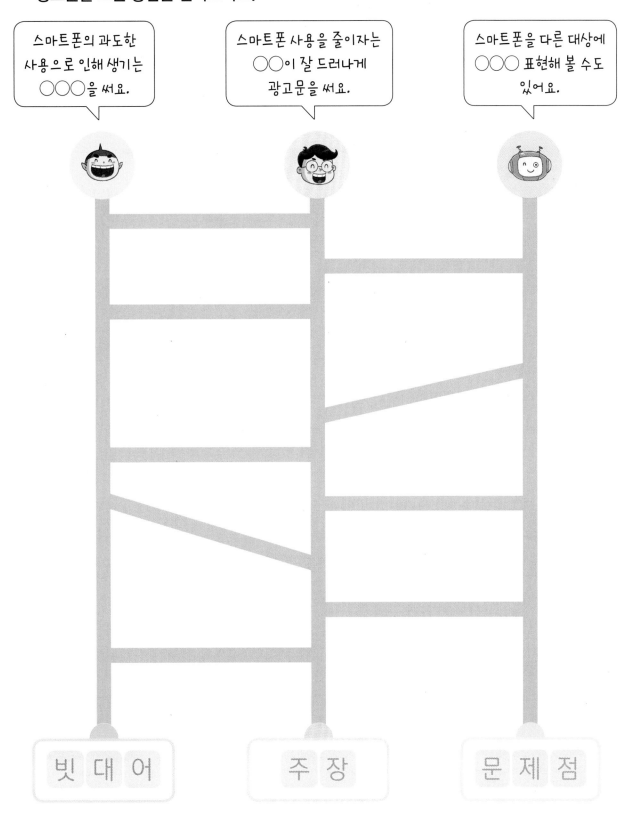

스마트폰의 과도한
사용으로 인해 생기는
○○○을 써요.

스마트폰 사용을 줄이자는
○○이 잘 드러나게
광고문을 써요.

스마트폰을 다른 대상에
○○○ 표현해 볼 수도
있어요.

빗 대 어

주 장

문 제 점

● 다음 광고를 보고, ◯◯ 과 ◯ㄴ◯ 안에 들어갈 말을 각각 써넣어 스마트폰 사용을 줄이자는 내용의 공익 광고문을 완성해 쓰세요.

스마트폰 안대, 이제는 벗어 주세요

◯◯

스마트폰을 볼 때, 우리는 머리 위 하늘의 푸르름을 놓칩니다.

스마트폰을 볼 때, 우리는 옆에 있는 친구의 미소를 놓칩니다.

스마트폰을 볼 때, 우리는 발밑에서 흔들리는 꽃의 아름다움을 놓칩니다.

진짜는 스마트폰 밖에 있습니다.

◯ㄴ◯

🐭 **어휘 풀이**

▼ **안대** | 눈 안 眼, 띠 대 帶 | 눈병이 났을 때 아픈 눈을 가리는 거즈 따위의 천 조각.
▼ **미소** | 작을 미 微, 웃을 소 笑 | 소리 없이 빙긋이 웃음. 또는 그런 웃음.
　예 아기의 미소는 사람들을 행복하게 만들었다.

▲ 안대

▶ 정답 및 해설 18쪽

낱말 쓰기

1 단계

스마트폰을 다른 대상에 빗대어 ⟨ ㉠ ⟩ 안에 스마트폰의 과도한 사용으로 인한 문제점이 잘 드러나게 광고문을 쓰려고 해요. 다음 판판의 말을 읽고, 빈칸에 알맞은 낱말을 쓰세요.

스마트폰을 보면 다른 것들이 눈에 들어오지 않는 걸 보니 우리 눈을 가리는 **안대** 같아.

늘 사용하는 스마트폰, ○ ㄷ 처럼 당신의 눈을 가리고 있지는 않나요?

문장 쓰기

2 단계

⟨ ㉡ ⟩ 안에 스마트폰 사용을 줄이자는 주장이 잘 드러나게 광고문을 쓰려고 해요. **보기** 의 낱말들을 모두 사용해 문장을 완성해 쓰세요.

보기

| 때 | 볼 | 벗고 | 주변을 | 안대를 |

이제 스마트폰

_____ 입니다.

한 편 쓰기

3 단계

1과 2에서 답한 내용을 넣어 스마트폰 사용을 줄이자는 내용의 공익 광고문을 완성해 쓰세요.

스마트폰 안대, 이제는 벗어 주세요

❶ _____

스마트폰을 볼 때, 우리는 머리 위 하늘의 푸르름을 놓칩니다.
스마트폰을 볼 때, 우리는 옆에 있는 친구의 미소를 놓칩니다.
스마트폰을 볼 때, 우리는 발밑에서 흔들리는 꽃의 아름다움을 놓칩니다.

진짜는 스마트폰 밖에 있습니다.

❷ _____

▶정답 및 해설 18쪽

1
낱말
고쳐쓰기

다음 문장의 밑줄 그은 부분을 다른 낱말로 바꿔 쓰려고 해요. 보기 에서 낱말을 골라 바꿔 쓰세요.

보기

항상   언제나

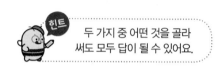
힌트 두 가지 중 어떤 것을 골라 써도 모두 답이 될 수 있어요.

늘 사용하는 스마트폰
↓
       사용하는 스마트폰

2
문장
고쳐쓰기

다음 문장에서 밑줄 그은 부분의 띄어쓰기를 각각 바르게 고치고, 문장을 따라 쓰세요.

스마트폰을 볼때, 우리는 발 밑에서 흔들리는 꽃의 아름다움을 놓칩니다.

↓

스	마	트	폰	을	V		V			,	우
리	는	V				V	흔	들	리	는	V
꽃	의	V	아	름	다	움	을	V	놓	칩	니
다	.										

힌트 '일정한 일이나 현상이 일어나는 시간.'을 뜻하는 '때'는 다른 낱말 뒤에서 띄어 써요.
'발바닥이 향하거나 닿는 자리. 또는 그 자리의 언저리.'를 뜻하는 '발밑'은 한 낱말이므로 붙여 써요.

◉ 다음 그림을 보고, 스마트폰을 '감옥'에 빗대어 스마트폰 사용을 줄이자는 내용의 공익 광고
문을 완성해 쓰세요.

3
주

❶ [   ]

편리한 생활을 위해 사용하는 스마트폰.

❷ [   ]

화면 속에 갇혀 스마트폰 바깥 세상을 보지 못하고 있다면

지금 고개를 들어 스마트폰 감옥에서 빠져나오세요.

힌트 스마트폰을 '감옥'에 빗대어 스마트폰 사용을 줄이자는 주장이 나타난
공익 광고문을 완성해 쓰세요. ❶에는 공익 광고의 제목이, ❷에는
스마트폰의 과도한 사용으로 인해 생기는 문제점이 드러나도록 자유롭게 써요.

상품 광고문 쓰기 ①

밤톨
등장인물의 삶이 흥미로워서 추천하고 싶어!

달래
아주 두꺼워서 베고 자기 좋을 것 같아서 나도 추천해!

기찬
그건 책을 사라고 추천하는 까닭으로 적절하지 않은 것 같아.

여러분, 오늘은 새로 나온 그림책을 팔기 위한 상품 광고문을 써 볼 거예요. 책을 추천하는 까닭을 떠올려 볼까요?

책을 팔기 위한 상품 광고문을 써라!

상품 광고는 소비자에게 제품의 우수성을 알려서,

그 제품을 사라고 설득해 제품을 더 많이 팔기 위해 만든 광고예요.

책을 팔기 위한 상품 광고문을 쓸 때에는

팔고 싶은 책의 제목과 독자의 흥미를 끌 수 있는 간단한 책 내용,

그 책을 추천하는 까닭 등을 써요.

◉ 책을 팔기 위한 상품 광고문을 쓰는 방법을 생각하며, 빈칸에 알맞은 말을 따라 쓰세요.

• 상 품 광 고 는 소비자에게 제품의 우 수 성 을 알려서 그 제품을 사라고 설득해 제품을 더 많이 팔기 위해 만든 광고예요.

• 팔고 싶은 책의 제 목 과 독자의 흥 미 를 끌 수 있는 간단한 책 내 용 , 그 책을 추 천 하는 까닭 등을 써요.

3
주

◉ 위에서 따라 쓴 낱말을 모두 찾아 색칠해 보고, 어떤 모양이 나오는지 알아보아요.

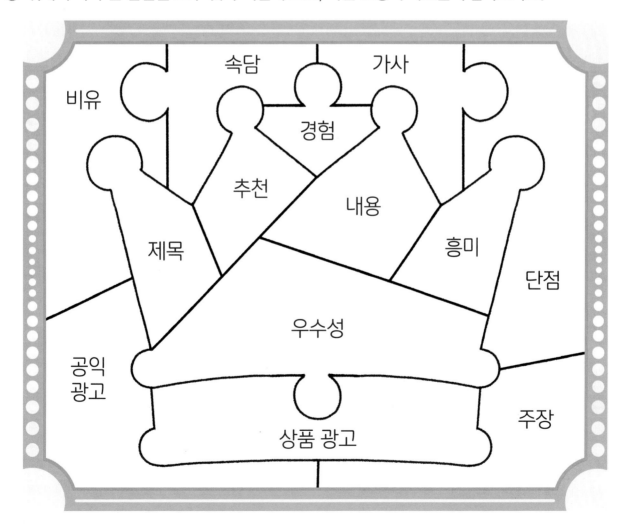

상품 광고문 쓰기 ①

● 다음 광고를 보고, 　ㄱ　과 　ㄴ　 안에 들어갈 말을 각각 써넣어 책 『행복한 왕자』를
팔기 위한 상품 광고문을 완성해 쓰세요.

『행복한 왕자』

　　　　　ㄱ　　　　　

자신의 것을 기꺼이 내주는
왕자의 고귀한 마음!

　　　　　ㄴ　　　　　

지금 구매하세요.

🐭 **어휘 풀이**

▼ **기꺼이** 마음속으로 은근히 기쁘게. 예 친구는 기꺼이 내 부탁을 들어주었다.

▼ **구매**|살 구 購, 살 매 買| 물건 따위를 사들임. 예 어제 구매한 팔찌는 정말 예쁘다.

낱말 쓰기

1 단계 ⃞ㄱ 안에 책 『행복한 왕자』의 내용이 간단히 드러나게 광고문을 쓰려고 해요. 다음 그림을 보고, 빈칸에 알맞은 낱말을 쓰세요.

　　죽어서 동상이 된 행복한 왕자는 그제야 세상의 가난과 슬픔을 알게 되어 ㄴ ㅁ 을 흘립니다.

문장 쓰기

2 단계 ⃞ㄴ 안에 책 『행복한 왕자』를 사라고 추천하는 까닭이 잘 드러나게 광고문을 쓰려고 해요. 보기 의 낱말들을 모두 사용해 문장을 완성해 쓰세요.

> **보기**
>
> 나눔의　　　무엇인지　　　싶은　　　알고　　　행복이

　　　　　분들께 추천합니다.

한 편 쓰기

3 단계 1과 2에서 답한 내용을 넣어 책 『행복한 왕자』를 팔기 위한 광고문을 완성해 쓰세요.

『행복한 왕자』

❶ _____

_____

자신의 것을 기꺼이 내주는
왕자의 고귀한 마음!

❷ _____

지금 구매하세요.

1
낱말
고쳐쓰기

다음 ⟨친구가 쓴 문장⟩에서 밑줄 그은 낱말을 뜻이 같은 낱말로 바꾸어 쓰려고 해요.
⟨보기⟩에서 알맞은 낱말을 골라 빈칸에 쓰세요.

⟨보기⟩

판매 상품 따위를 팖.

구입 물건 따위를 사들임.

도매 물건을 낱개로 사지 않고 죄다 한데 묶어 삼.

⟨친구가 쓴 문장⟩

지금 <u>구매</u>하세요.

→

⟨고쳐 쓴 문장⟩

지금 [ ][ ]하세요.

2
문장
고쳐쓰기

다음 밑줄 그은 부분을 바르게 고치고, 문장을 따라 쓰세요.

자신의 것을 기꺼히 내 주는
왕자의 고귀한 마음!

자	신	의	V	것	을	V			V
			V	왕	자	의	V	고	귀	한	V
마	음	!							

힌트 '마음속으로 은근히 기쁘게.'를 뜻하는 '기꺼이'는 [기꺼이]로 소리 나요.
이와 같이 '-이'로 분명하게 소리 날 때에는 '-이'라고 써야 해요. '가지고
있던 것을 남에게 넘겨주다.'를 뜻하는 낱말은 '내주다'예요.

▶ 정답 및 해설 19쪽

● 다음 이야기 「장 발장」의 밑줄 그은 부분을 보고, 책 『장 발장』을 팔기 위한 상품 광고문을 쓰려고 해요. 빈칸에 책 내용 부분을 알맞게 쓰세요.

장 발장은 자신도 모르게 유리창을 깨고 <u>빵 한 덩어리를 들고 도망</u>쳤다.

도둑이야! 저놈 잡아요!

장 발장에게는 <u>5년의 징역이 선고</u>되었다.

1862년 작

장 발장

추천

❶ _____ 을 간 죄로

❷ _____ 된 장 발장!

150년 간 사람들을 웃고 울린 명작!

오랜 시간이 지나도 꺼지지 않는 인기의 이유가 궁금하다면

지금 구매하세요.

힌트
책 『장 발장』의 상품 광고에 독자의 흥미를 끌 수 있도록
책 내용을 간단히 정리해 써요.

5일 상품 광고문 쓰기 ②

달래
자전거가 깃털보다 가벼워서 타면 하늘로 날아오르는 느낌이 든다고 쓸래.

판판
자전거가 깃털보다 가볍다는 건 말이 안 돼.

기찬
달래야, 과장 광고는 안 돼~!

오늘은 자전거를 팔기 위한 상품 광고문을 써 봐요. 그런데 기능을 실제보다 과장하면 안 되겠죠?

자전거를 팔기 위한 상품 광고문을 써라!

자전거를 팔기 위한 상품 광고문을 쓸 때에는

팔고 싶은 자전거의 제품명과 자전거의 우수한 특징이 사실대로 잘 드러나게 써요.

이때, 자전거의 특징을 실제보다 부풀려 과장하거나

없는 기능을 있는 것처럼 허위로 설명하면 안 돼요.

▶정답 및 해설 20쪽

● 자전거를 팔기 위한 상품 광고문을 쓰는 방법에 맞게 빈칸에 알맞은 말을 쓰고, 퍼즐판에서 찾아 ○표를 하세요.

팔고 싶은 자전거의 제품명과 자전거의 우수한 ❶ ☐ ☐ 이 사실대로 잘 드러나게 써요.

자전거의 특징을 실제보다 부풀려 ❷ ☐ ☐ 하면 안 돼요.

특	둘	비	우
징	가	사	과
이	파	간	장
어	허	위	조

 없는 기능을 있는 것처럼 ❸ ☐ ☐ 로 설명하면 안 돼요.

5일 상품 광고문 쓰기 ②

◉ 다음 대화를 읽고, 자전거를 팔기 위한 상품 광고문에 추가될 씽씽 자전거의 특징을 쓰세요.

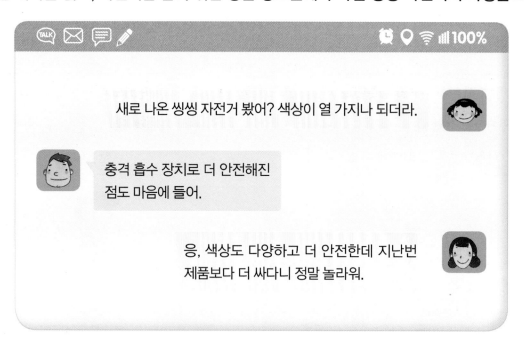

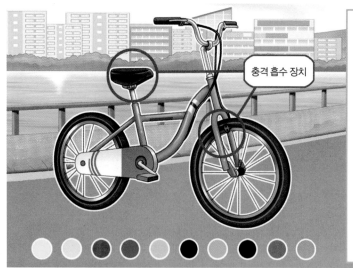

씽씽 자전거 타고 씽씽

더 안전합니다!
안장과 바퀴에
충격 흡수 장치를 설치했습니다.
더 저렴합니다!
이전에 판매된 제품보다
싼 가격에 판매합니다.

과장 광고와 허위 광고란?

　과장 광고는 상품이 잘 팔리게 하려고 상품 기능을 실제보다 부풀린 광고이고, 허위 광고는 있지도 않은 상품 기능을 있는 것처럼 설명하는 광고예요. 광고를 볼 때에는 과장하거나 허위로 쓴 부분은 없는지 판단하며 봐야 해요. 광고 내용을 판단하지 않고 그대로 믿으면 피해를 입을 수도 있으니 주의하세요.

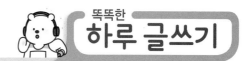
낱말 쓰기

1단계 광고문에 추가될 씽씽 자전거의 특징을 정리한 것이에요. 다음 장면을 보고, 알맞은 낱말을 빈칸에 쓰세요.

이번에 출시된 저희 회사의 씽씽 자전거는 색상이 **다양합니다.**

더 ㄷ ㅇ ㅎ ㄴ ㄷ !

문장 쓰기

2단계 1에서 답한 씽씽 자전거의 특징을 자세히 설명하는 내용을 쓰려고 해요. 보기 에서 알맞은 말을 찾아 문장을 완성하여 쓰세요.

> 보기
>
> 열 가지 색상으로 출시되어   한 가지 색상으로 그려져서

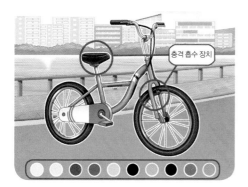

무려

선택의 폭이

넓습니다.

한 편 쓰기

3단계 1과 2에서 답한 내용을 넣어 씽씽 자전거를 팔기 위한 상품 광고문에 추가될 내용을 쓰세요.

	❶더	∨					!	
	❷무	려	∨	∨		∨		
	∨			∨			∨	
	∨	넓	습	니	다	.		

1 낱말 고쳐쓰기

다음 친구가 쓴 문장 에서 밑줄 그은 낱말을 바르게 고쳐 쓰려고 해요. 보기 에서 알맞은 낱말을 골라 빈칸에 쓰세요.

보기

고작 기껏 따지고 세아려 보아야.

다소 어느 정도로.

무려 그 수가 예상보다 상당히 많음.

친구가 쓴 문장

겨우 열 가지 색상으로 출시되어 선택의 폭이 넓습니다.

↓

고쳐 쓴 문장

☐ ☐ 열 가지 색상으로 출시되어 선택의 폭이 넓습니다.

2 문장 고쳐쓰기

다음 밑줄 그은 부분의 띄어쓰기를 바르게 고치고, 문장을 따라 쓰세요.

충격 흡수 장치

이전에 판매 된 제품보다 싼 가격에 판매 합니다.

↓

이	전	에	V				V	제	품	보
다	V	싼	V	가	격	에	V			
	.									

힌트

'판매'에 '-하다'와 '-되다'가 붙으면 한 낱말이 돼요.

● 다음 그림을 보고, '함께 자전거'를 팔기 위한 상품 광고문을 한 편 완성해 쓰세요.

높이 조절 가능

보조 바퀴
탈부착 가능

3
주

힌트
자전거를 팔기 위한 상품 광고문을 쓸 때에는
자전거의 특징을 실제보다 부풀려 과장하거나
없는 기능을 있는 것처럼 허위로 설명하면 안 돼요.
자전거 그림을 보고 알 수 있는 특징을 바탕으로, 자전거의 제품명과
자전거의 우수한 특징이 사실대로 잘 드러나게 광고문을 써요.

생활 어휘 다음 만화를 보며 속담의 뜻을 알아보고, 상황에 맞게 속담을 써 보세요.

서당 개 삼 년에 풍월을 읊는다

3주

속담의 뜻을 알아봐요!

서당 개 삼 년에 풍월을 읊는다

이 속담은 "어떤 분야에 대하여 지식과 경험이 전혀 없는 사람이라도 그 부문에 오래 있으면 얼마간의 지식과 경험을 갖게 된다."라는 뜻이랍니다.

이제 이 속담을 넣어 상황에 맞게 써 볼까요?

"□□□□□□

□□□□□□□□□"더니

내가 피아노 치는 것을 오랫동안 지켜본 동생이 피아노로 간단한 곡을 치기 시작했다.

● 아영이가 독서를 하자는 내용의 공익 광고를 보고 책을 빌리러 도서관에 가려고 해요. 알맞은 답을 골라 따라 쓰며 도서관을 찾아가세요.

 창의 3주에 나왔던 **낱말과 그 뜻**을 익히며 도서관까지 가는 길을 찾아 봅니다.

▶정답 및 해설 21쪽

◉ 스마트폰 사용을 줄이자는 내용의 공익 광고를 보고 사람들의 생활이 어떻게 달라졌는지
살펴보며 두 그림에서 다른 부분을 다섯 군데 찾아 아래 그림에 ◯표를 하세요.

 창의   스마트폰의 과도한 사용으로 인해 생기는 문제점을 떠올리며 두 그림에서 다른 부분을 모두 찾아 봅니다.

◉ 민찬이가 책을 팔기 위한 상품 광고를 보고 서점에 책을 사러 갔어요. 다음 만화를 읽고, 민찬이가 산 책의 가격을 계산해 빈칸에 알맞은 숫자를 써넣어 만화를 완성해 보세요.

 융합
국어＋수학

책의 가격을 보고, (다섯 자리수)＋(다섯 자리수)＋(다섯 자리수)의 덧셈을 해 봅니다.

◉ 상품 광고를 보고 자전거를 산 진아가 자전거를 타고 할머니 댁을 찾아가려고 해요. 할머니 댁에 도착할 수 있도록 빈 부분에 들어갈 알맞은 코딩 블록에 ○표를 하여 코딩 명령을 완성하세요.

코딩 명령

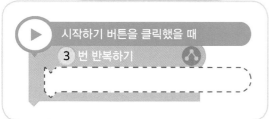

▶ 시작하기 버튼을 클릭했을 때
3 번 반복하기

(1) 위쪽으로 2칸, 오른쪽으로 1칸 이동하기 ⇄ ( )

(2) 위쪽으로 1칸, 왼쪽으로 1칸 이동하기 ⇄ ( )

 코딩 코딩 명령에 따라 이동하며 **길을 찾는** 미션을 해 봅니다.

1 다음은 어떤 광고에 대한 설명인지 알맞은 것에 ○표를 하세요.

> 국가나 사회 전체의 이익을 목적으로 만든 광고

(공익 광고 , 상품 광고)

2 에너지를 아끼자는 내용의 공익 광고문을 쓰는 방법을 바르게 말한 친구의 이름을 쓰세요.

> **밤톨:** 에너지가 낭비되고 있는 문제 상황과 이러한 문제 상황을 해결할 수 있는 방법이 잘 드러나게 쓰면 좋아.
> **기찬:** 스마트폰의 과도한 사용으로 인해 생기는 문제점과 스마트폰 사용을 줄이자는 주장이 잘 드러나게 쓰면 좋아.

(   )

3 다음 공익 광고문은 어떤 내용을 담고 있는지 빈칸에 알맞은 낱말을 쓰세요.

> 책을 읽으면 과거의 지혜가 보입니다.
> 책을 읽으면 현재의 삶이 보입니다.
> 책을 읽으면 미래의 청사진이 보입니다.
>
> 읽으면, 볼 수 있습니다.
> 독서, 우리의 과거와 현재, 미래를 보는 창입니다.

• ⬚ㄷ⬚ ⬚ㅅ⬚ 를 하자.

4 다음 공익 광고문을 읽고, 독서를 무엇에 빗대어 표현했는지 찾아 네 글자로 쓰세요.

> 독서, 더 넓은 세계로 건너가는 징검다리입니다

> 책만 펴면 우리는 어디든 갈 수 있습니다.
> 마법 세계로 건너갈 수도 있고,
> 말하는 동물이 사는 세상으로 건너갈 수도 있고, / 괴물들이 사는 마을로 건너갈 수도 있습니다.
>
> 책은 우리에게 더 넓은 세상을 보여 주는 징검돌입니다.

⬚ ⬚ ⬚ ⬚

5 다음 공익 광고문을 읽고, 우리가 스마트폰을 볼 때 놓치는 것이 <u>아닌</u> 것에 ×표를 하세요.

> 스마트폰을 볼 때, 우리는 머리 위 하늘의 푸르름을 놓칩니다.
> 스마트폰을 볼 때, 우리는 옆에 있는 친구의 미소를 놓칩니다.
> 스마트폰을 볼 때, 우리는 발밑에서 흔들리는 꽃의 아름다움을 놓칩니다.

(1) 옆에 있는 친구의 미소   (   )
(2) 스마트폰 속 영상 자료   (   )
(3) 머리 위 하늘의 푸르름   (   )
(4) 발밑에서 흔들리는 꽃의 아름다움
                                (   )

글쓰기

6 책 『행복한 왕자』를 팔기 위한 상품 광고문에 들어갈 간단한 책 내용을 쓰려고 해요. 다음 그림을 보고, 알맞은 말을 보기 에서 골라 문장을 완성하고 따라 써 보세요.

보기

| 눈물 | 웃음 | 기쁨 |

세	상	의	V	가	난	과
슬	품	을	V	알	게	V	된
행	복	한	V	왕	자	는	V
		을	V	흘	립	니	다	.

7 책을 팔기 위한 상품 광고문에 들어갈 책을 추천하는 까닭을 알맞게 말한 친구의 이름을 쓰세요.

판판: 이 책은 어려운 낱말이 많아 지루하고 읽기 힘듭니다.
달래: 나눔의 행복이 무엇인지 알고 싶은 분들께 이 책을 추천합니다.

( )

8 과장 광고와 허위 광고에 대한 설명으로 알맞은 것을 각각 선으로 이으세요.

(1) 과장 광고 •

• ① 있지도 않은 상품 기능을 있는 것처럼 설명하는 광고

(2) 허위 광고 •

• ② 상품 기능을 실제보다 부풀린 광고

[9~10] 다음 광고문을 읽고, 물음에 답하세요.

씽씽 자전거 타고 씽씽

더 안전합니다!
안장과 바퀴에
충격 흡수 장치를 설치했습니다.
더 ⎡ ㉠ ⎤!
이전에 판매된 제품보다 싼 가격에 판매합니다.
더 다양합니다!
무려 열 가지 색상으로 출시되어
선택의 폭이 넓습니다.

9 이 글에서 광고하는 것은 무엇인지 찾아 다섯 글자로 쓰세요.

( )

글쓰기

10 ㉠ 안에 들어갈 표현으로 알맞은 말을 따라 쓰세요.

| 저 | 렴 | 합 | 니 | 다 |
| 부 | 담 | 됩 | 니 | 다 |

나는 어제 읽은 「친구」라는 시로 시 감상문을 써야겠어.

그 시를 읽고 너희들이 정말 소중하다는 것을 깨달았어.

오~

나는 도서관에서 빌린 책을 읽고 이야기 감상문을 써야지.

그러면 되겠네

오늘 엄마게서 떡볶이를 해 주신다고 하니 빨리 가서 먹고 감상문 쓰기 숙제하자.

좋아!

여러 종류의 감상문을 써 보자!

1일 시 감상문 쓰기

2일 이야기 감상문 쓰기

3일 그림 감상문 쓰기

4일 음식 감상문 쓰기

5일 연극 감상문 쓰기

4주

4주에는 무엇을 공부할까? ❷

1-1 다음은 무엇에 대한 설명인지 보기 에서 골라 쓰세요.

시, 이야기, 그림, 연극 등을 보거나
음식을 먹고 나서 떠오르는 생각이나
느낌을 자유롭게 표현한 글을 말해요.

> **보기**
>
> 설명문   논설문   감상문

1-2 다음 빈칸에 들어갈 알맞은 말을 골라 ○표를 하세요.

감상문은 시, 이야기, 그림, 연극 등을 보거나 음식을 먹고 나서 떠오르는 생각
이나 느낌을 [   ] 표현한 글을 말해요.

복잡하게   자유롭게   화려하게

▶ 정답 및 해설 23쪽

2-1 다음 중 음식 감상문을 쓰는 방법으로 알맞지 <u>않은</u> 것을 골라 ×표를 하세요.

(1) 음식의 유래나 음식의 영양가 등에 대해 조사해서 쓴다. (　　　)

(2) 음식을 만들어 준 사람의 이름과 나이 등에 대해 자세히 쓴다. (　　　)

(3) 음식의 재료나 색깔, 맛, 모양 등과 관련해 느낀 점을 자유롭게 쓴다. (　　　)

2-2 다음 음식 감상문의 ☐ 안에 들어갈 내용을 알맞게 말한 친구의 이름에 ○표를 하세요.

> 　전통 음식 박물관으로 체험학습을 갔다가 한과를 먹어 보았다. 여러 가지 한과 중에 다식이 제일 맛있었다. 다식은 녹말, 송화, 신감채, 검은깨 등의 가루를 꿀이나 조청에 반죽하여 다식판에 박아 만든다고 한다. 다식은 흰색, 노란색, 검은색 등 여러 가지 색깔로 만들어져서 예뻤고, 모양이 동글동글해서 귀여웠다. 먹어 보니 ☐☐☐☐

▲ 다식

요리를 해 주신 엄마께 감사한 마음이 들었다.

판판

달콤하고 고소한 맛이 나서 계속 먹고 싶었다.

달래

1일 시 감상문 쓰기

밤톨
저 장면을 보니 「친구」라는 시가 떠올라.

기찬
나는 그 시를 읽고 친구의 소중함을 깨달았어.

달래
그 느낌을 시 감상문에 써 봐.

여러분, 친구들이 사이좋게 지내는 모습이 보기 좋네요.
이번 주에는 여러 종류의 감상문 쓰기를 해 볼 거예요.
먼저, 「친구 생각」이라는 시를 읽고 시 감상문을 써 볼까요?

I ☺ 입력

시를 읽고 느낀 점으로 시 감상문을 써라!

감상문은 시, 이야기, 그림, 연극 등을 보거나 음식을 먹고 나서

떠오르는 생각이나 느낌을 자유롭게 표현한 글을 말해요.

시를 읽고 감상문을 쓸 때에는

느낀 점, 떠오르는 장면, 시의 분위기 등을 써요.

시의 내용과 관련된 내 경험을 떠올려 써도 좋아요.

◉ 시를 읽고 감상문을 쓰는 방법에 맞게 빈칸에 알맞은 말을 쓰고, 퍼즐판에서 찾아 ◯표를 하세요.

❶ ☐☐☐ 은 시, 이야기, 그림, 연극 등을 보거나 음식을 먹고 나서 떠오르는 생각이나 느낌을 자유롭게 표현한 글이에요.

시를 읽고 느낀 점, 떠오르는 ❷ ☐☐, 시의 분위기 등을 써요.

장	승	경	험
면	제	주	도
단	물	수	건
감	상	문	서

시의 내용과 관련된 내 ❸ ☐☐☐ 을 떠올려 써도 좋아요.

시 감상문 쓰기

● 다음 시를 읽고, 시 감상문을 써 보세요.

친구 생각

김일연

등나무에 기대서서
신발코로 모래 파다가

텅 빈 운동장으로
힘 빠진 공을 차 본다.

내 짝꿍 왕방울눈 울보가
오늘
전학을 갔다.

🐭 **어휘 풀이**

▼**등**│등나무 등 藤│**나무** 봄에 향기로운 연한 보랏빛 꽃이 송이를 이루어 피고
　　여름에 그늘이 짙은, 뜰에 심는 큰 덩굴나무.

▼**신발코** 신의 앞쪽 끝의 뾰족한 곳. '신코'가 바른 표현이지만, 시의 느낌을
　　살리기 위하여 '신발코'라 함.

▼**울보** 잘 우는 아이. 例 내 동생은 매일 우는 <u>울보</u>이다.

▲ 등나무

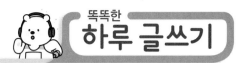
낱말 쓰기

1 단계

다음 기찬이의 말을 읽고, 빈칸에 알맞은 낱말을 각각 쓰세요.

「친구 생각」이라는 시를 읽으니 짝꿍이 **전학**을 가서 슬픈 인물의 **마음**이 느껴졌어.

(1) 짧은 시 속에 슬프고 기운이 없는 시 속 인물의 ☐ㅁ ☐ㅇ 이 잘 표현되어 있었다.

(2) 문득 지난달에 ☐ㅈ ☐ㅎ 을 간 단짝 친구가 생각나서 나도 눈물이 나려고 했다.

문장 쓰기

2 단계

1의 내용을 바탕으로 시를 읽고 느낀 점을 두 문장으로 쓰세요.

❶ 짧은 시 속에 　　　　　　　　　　시 속 인물의

마음이 잘 표현되어 있었다.

❷ 문득 지난달에

나도 눈물이 나려고 했다.

한 편 쓰기

3 단계

2에서 쓴 문장을 넣어 시 감상문을 완성해 보세요.

학교에서 쉬는 시간에 책을 읽다가 「친구 생각」이라는 시를 읽었다.

❶짧	은	∨	시	∨	속	에	∨
	∨		∨		∨		∨
	∨			∨	잘	∨	표	현	되
어	∨	있	었	다	.	❷문	득	∨	지	난	달
에	∨		∨		∨		∨
	∨			∨		∨
	∨			∨	

1

낱말
고쳐쓰기

다음 시에서 밑줄 그은 낱말을 바르게 고쳐 쓰세요.

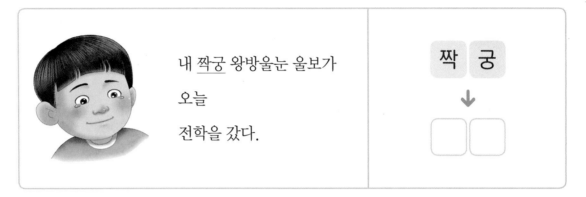

내 <u>짝궁</u> 왕방울눈 울보가

오늘

전학을 갔다.

짝 궁

↓

☐ ☐

힌트

'학교 등에서 짝을 이루는 사람.'과
'뜻이 맞거나 매우 친한 사람.'이라는
뜻을 가진 낱말을 바르게 써 봐요.

2

문장
고쳐쓰기

다음 기찬이가 낭송한 시에서 밑줄 그은 부분의 띄어쓰기를 바르게 고치고, 문장을 따라 쓰세요.

텅빈 운동장으로
힘빠진 공을 차 본다.

		∨		∨	운	동	장	으	로
		∨		∨	공	을	∨	차	∨	본
다	.									

● **다음 시를 읽고, 빈칸에 알맞은 말을 보기 에서 골라 시 감상문을 완성하세요.**

봄

윤동주

우리 아기는
아래 발치에서 코올코올

고양이는
부뚜막에서 가릉가릉

아기 바람이
나뭇가지에서 소올소올

아저씨 해님이
하늘 한가운데서 째앵째앵.

보기

코올코올, 가릉가릉, 소올소올, 째앵째앵

아기와 고양이가 낮잠을 자고

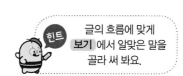
힌트 글의 흐름에 맞게 보기 에서 알맞은 말을 골라 써 봐요.

낮에 동생에게 책을 읽어 주다가 「봄」이라는 시를 읽게 되었다.

햇볕이 따뜻한 봄날의 한낮에 ❶ _____

나뭇가지가 바람에 흔들리는 장면 등이 떠오르는 시였다.

흉내 내는 말 '❷ _____ '

의 느낌을 살려 낭송하니 노래를 부르는 것처럼 신났다.

이 시는 전체적으로 평화로운 느낌을 주어서 읽고 나니 내 마음도 편안해졌다.

2_일 이야기 감상문 쓰기

이야기를 읽고 느낀 점으로 이야기 감상문을 써라!

이야기를 읽고 감상문을 쓸 때에는

먼저 이야기의 제목과 이야기를 읽게 된 까닭을 써요.

원인과 결과에 따라, 또는 일이 일어난 차례에 따라 줄거리를 요약해서 써요.

마지막으로 이야기를 읽은 후의 생각이나 느낌을 쓰면 돼요.

144 ● 똑똑한 하루 글쓰기

● 사다리 타기를 하여 도착한 곳의 낱말을 따라 쓰며, 이야기 감상문을 쓰는 방법을 알아보아요.

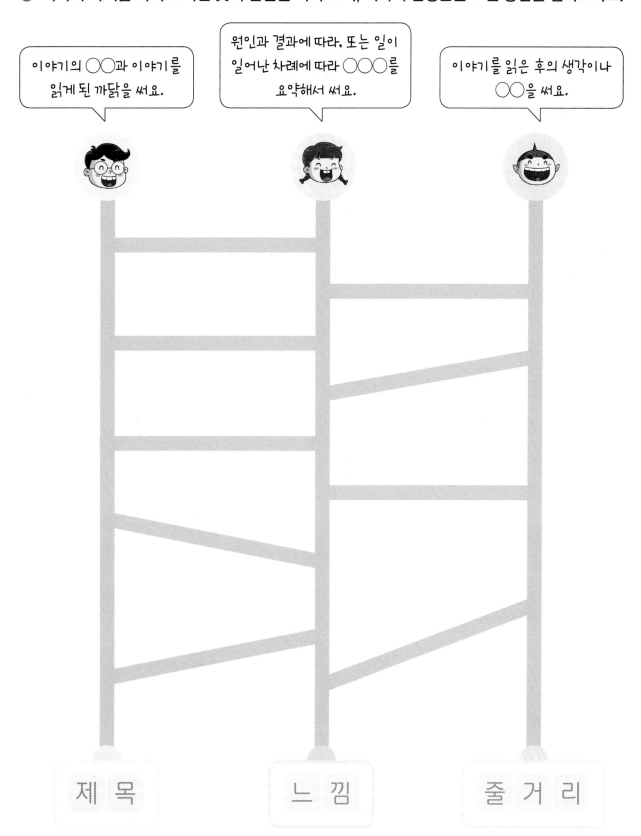

이야기의 ○○과 이야기를 읽게 된 까닭을 써요.

원인과 결과에 따라, 또는 일이 일어난 차례에 따라 ○○○를 요약해서 써요.

이야기를 읽은 후의 생각이나 ○○을 써요.

제 목

느 낌

줄 거 리

2일 이야기 감상문 쓰기

● 다음 이야기를 읽고, 이야기 감상문을 써 보세요.

작은 연못

깊은 산속 오솔길 옆, 깨끗한 작은 연못에 '하양이'와 '노랑이'라는 붕어 두 마리가 사이좋게 살았어요.

어느 여름날, 연못 속으로 먹이가 떨어졌어요. 하양이와 노랑이는 먹이를 사이좋게 나누어 먹었어요.

다음 날도, 그다음 날도 먹이가 계속 내려왔지만 양이 많지는 않아서 하양이와 노랑이는 아쉬웠어요.

어느 날부터인가 하양이와 노랑이는 먹이를 더 먹으려고 서로를 헐뜯기 시작했어요.

마침내 두 붕어는 싸움을 시작했고, 노랑이보다 몸집이 작았던 하양이가 죽고 말았어요.

죽은 하양이의 몸이 썩어 갔고, 연못의 물도 서서히 썩기 시작했어요. 결국 노랑이도 죽고 말았어요.

🐭 어휘 풀이

▼ **오솔길** 폭이 좁고 오가는 사람이 많지 않아 조용하고 쓸쓸해 보이는 길. 예 오솔길을 산책했다.
▼ **헐뜯기** 남에게 해를 입히기 위해 나쁘게 말하기. 예 서윤이는 남 헐뜯기를 싫어한다.

낱말 쓰기

1
단계

다음 그림을 보고, 「작은 연못」의 내용을 정리할 때 빈칸에 알맞은 낱말을 쓰세요.

이 이야기는 작은 연못에서 사이좋게 지내던 두 붕어, 하양이와 노랑이가 ☐ ○ 때문에 욕심을 부리며 싸우다가 둘 다 죽게 되었다는 내용이다.

문장 쓰기

2
단계

1에서 쓴 내용을 바탕으로 보기 의 말을 이용해 생각이나 느낌을 정리해서 쓰세요.

보기

해치게   욕심을   자신도   부리지

욕심은 남도 해치지만 결국   된다는 것을

알게 되었다.   말고 나누는 삶을 살아야겠다.

한 편 쓰기

3
단계

1과 **2**에서 쓴 문장을 넣어 이야기 감상문을 완성하세요.

◀ ▶ [🔍▼↻]   — ▢ ✕

「작은 연못」을 읽고

작성자 김서윤   작성일 20○○.09.15   댓글 0   조회 수 10

아빠께서 생일 선물로 주신 책 속에 이 「작은 연못」이라는 이야기가 있어서 읽게 되었다.

이 이야기는 ❶ _____

_____

_____

❷ _____

_____

4
주

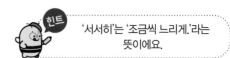
똑똑한
하루 글쓰기 고쳐쓰기

▶ 정답 및 해설 24쪽

1
낱말
고쳐쓰기

다음 친구가 쓴 문장 의 밑줄 그은 낱말 대신 바꿔 쓰기에 알맞은 낱말을 보기 에서 골라 쓰세요.

> **보기**
>
> **천천히** 움직임이나 태도가 느리게.
>
> **공연히** 특별한 이유나 실속이 없게.

 힌트
'서서히'는 '조금씩 느리게.'라는 뜻이에요.

> **친구가 쓴 문장**
>
> 죽은 하양이의 몸이 썩어 갔고, 연못의 물도 <u>서서히</u> 썩기 시작했어요.

↓

> 죽은 하양이의 몸이 썩어 갔고, 연못의 물도 [   ] 썩기 시작했어요.

2
문장
고쳐쓰기

다음 밑줄 그은 부분을 바르게 고치고, 문장을 따라 쓰세요.

마침내 두 붕어는 싸움을 시작했고, 노랑이보다 <u>몸찝이 적었던</u> 하양이가 죽고 말았어요.

마	침	내	V	두	V	붕	어	는	V	싸
움	을	V	시	작	했	고	,	노	랑	이	보
다	V			V					V	하	양
이	가	V	죽	고	V	말	았	어	요	.	

▶ 정답 및 해설 24쪽

● 다음 「지혜로운 아들」을 읽고, 빈칸에 알맞은 말을 써넣어 이야기 감상문을 쓰세요.

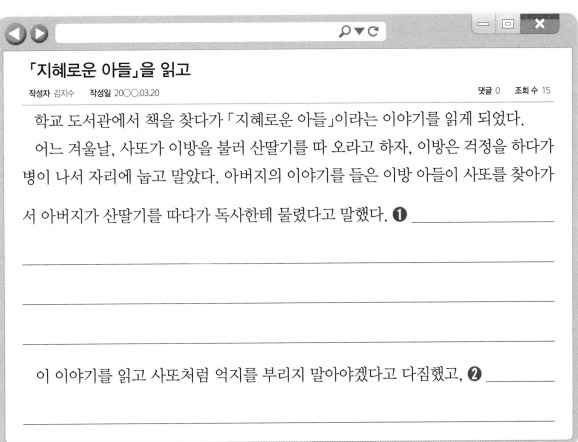

「지혜로운 아들」을 읽고

작성자 김지수   작성일 20○○.03.20   댓글 0   조회수 15

　학교 도서관에서 책을 찾다가 「지혜로운 아들」이라는 이야기를 읽게 되었다.

　어느 겨울날, 사또가 이방을 불러 산딸기를 따 오라고 하자, 이방은 걱정을 하다가 병이 나서 자리에 눕고 말았다. 아버지의 이야기를 들은 이방 아들이 사또를 찾아가서 아버지가 산딸기를 따다가 독사한테 물렸다고 말했다. ❶ _____

_____

_____

_____

　이 이야기를 읽고 사또처럼 억지를 부리지 말아야겠다고 다짐했고, ❷ _____

_____

❶에는 이야기의 줄거리를, ❷에는 생각이나 느낌을 써넣어요.

3_일 그림 감상문 쓰기

친구들이 여러 가지 미술 작품을 보고 있네요. 오늘은 그림을 보고 그림 감상문을 써 봐요.

달래
나도 그림 보는 것 좋아하는데.

기찬
달래가 먹는 것 말고 그림 보는 것도 좋아하는구나.

밤톨
그럼 우리 이번 주말에 다 함께 미술관에 가자!

그림을 보고 느낀 점으로 그림 감상문을 써라!

그림을 보고 감상문을 쓸 때에는

먼저 그림의 제목과 작가가 누구인지 써요.

무엇을 그린 그림인지, 색깔, 구도, 표현 방법 등이 어떠한지 써요.

그리고 그림을 보고 든 생각이나 느낌도 자유롭게 써 봐요.

> **구도** 그림에 들어갈 요소들의 조화로운 배치.

▶ 정답 및 해설 25쪽

● 그림 감상문을 쓰는 방법에 맞게 빈칸에 알맞은 말을 쓰고, 퍼즐판에서 찾아 ○표를 하세요.

그림의 ❶ ☐☐ 과 작가가 누구인지 써요.

무엇을 그린 그림인지, ❷ ☐☐ , 구도, 표현 방법 등이 어떠한지 써요.

제	기	피	자
목	장	리	색
차	례	조	깔
림	생	각	게

 그림을 보고 든 ❸ ☐☐ 이나 느낌도 자유롭게 써 봐요.

◉ 친구들이 김홍도의 「서당」이라는 그림을 보고 있어요. 그림을 보고, 그림 감상문을 써 보세요.

지금의 학교와 같은 서당의 모습을 재미있게 표현했네.

훈장님께 혼나서 우는 아이를 보니 예전에 숙제를 하지 않아서 선생님께 혼났던 기억이 떠오르네.

그림에 쓰인 색깔은 다양하지 않은데 아이들의 표정이나 모습이 생생하게 느껴져.

입을 가리고 키득키득 웃고 있는 아이의 모습이 꼭 개구쟁이 같아.

＊그림 출처: 국립중앙박물관

🐭 어휘 풀이

▼ **서당**|글 서 書, 집 당 堂|　(옛날에) 아이들이 글을 배우던 곳. 예 옛날에는 <u>서당</u>에서 한자를 배웠대.

▼ **훈장**|가르칠 훈 訓, 길 장 長|　예전에, 글방 선생을 이르던 말.

　　예 한자 책을 읽고 계신 할아버지의 모습이 서당의 <u>훈장</u> 같았다.

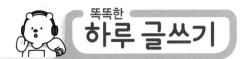

▶ 정답 및 해설 25쪽

낱말 쓰기

 다음은 「서당」 그림을 보고 쓴 그림 감상문에 들어갈 내용이에요. 빈칸에 알맞은 낱말을 보기 에서 각각 골라 쓰세요.

> 보기
>
> | 제목 | 경험 | 모양 | 색깔 |
> |------|------|------|------|

❶ 　그림에 쓰인 　　　　　은 다양하지 않은데 아이들의 표정이나 모습이 생생하게 느껴졌다.

❷ 　훈장님께 혼나서 우는 아이를 보니 예전에 숙제를 하지 않아서 선생님께 혼났던 　　　　　이 떠올랐다.

문장 쓰기

 1에서 쓴 내용을 넣어 그림 감상문을 완성하세요.

그림 제목	「서당」	작가	김홍도
그림을 보게 된 까닭	여름 방학을 맞아 아빠와 함께 국립중앙박물관에 견학을 가서 보게 되었다.		
감상평	지금의 학교와 같은 서당의 모습을 재미있게 표현한 그림이었다. ❶ ＿＿＿＿＿＿＿＿＿＿ ＿＿＿＿＿＿＿＿＿＿＿ ＿＿＿＿＿＿＿＿＿＿＿ ＿＿＿＿＿＿＿＿＿＿＿ 특히, 입을 가리고 키득키득 웃고 있는 아이의 모습이 인상적이었다. 　그리고 ❷ ＿＿＿＿＿＿＿＿ ＿＿＿＿＿＿＿＿＿＿＿ ＿＿＿＿＿＿＿＿＿＿＿ ＿＿＿＿＿＿＿＿＿＿＿		

4
주

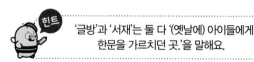

▶ 정답 및 해설 25쪽

1
낱말
고쳐쓰기

다음 문장의 밑줄 그은 낱말 대신 바꿔 쓰기에 알맞은 낱말을 보기 에서 골라 쓰세요.

보기

글방   서재

힌트 '글방'과 '서재'는 둘 다 '(옛날에) 아이들에게 한문을 가르치던 곳.'을 말해요.

지금의 학교와 같은 <u>서당</u>의 모습을 재미있게 표현했다.

↓

지금의 학교와 같은 ☐☐ 의 모습을 재미있게 표현했다.

▲ 「서당」

2
문장
고쳐쓰기

다음 밤톨이의 말에서 밑줄 그은 부분을 바르게 고치고, 문장을 따라 쓰세요.

입을 가리고 키득키득 <u>웃고있는</u> 아이의 모습이 꼭 <u>개구장이</u> 같아.

입	을	V	가	리	고	V	키	득	키	득	V
		V			V	아	이	의	V	모	습
이	V	꼭	V					V	같	아	.

힌트 '웃고있는'은 바르게 띄어 쓰고, '개구장이'는 알맞은 낱말로 고쳐 써 봐요.

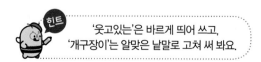

● 다음 대화를 읽고, 빈칸에 알맞은 내용을 써넣어 그림 감상문을 완성해 보세요.

 국립중앙박물관에 가서 신사임당의 그림
'「초충도」 – 수박과 들쥐'를 보았어.

나도 그 그림 교과서에서 본 적 있어.

 전체적으로 그림에 붉은색과 초록색이 많이 쓰여
산뜻한 느낌을 주었어.

 그리고 쥐가 수박씨를 먹는 모습이 인상적이었고, 꽃과
풀과 나비가 어우러진 모습이 평화로워 보였어.

그림 제목	「초충도」 – 수박과 들쥐	작가	신사임당
감상평	「초충도」는 여덟 폭으로 이루어진 병풍 작품이라고 한다. 이 중에서 '수박과 들쥐'라는 그림을 보았다. 　그림에서 나비와 꽃, 수박 등에 붉은색과 초록색이 많이 쓰여 ❶ _____ _____ 　그리고 수박의 겉모습이 지금의 수박과 다른 것 같아 신기했다. 　그림에서 ❷ _____ _____		

*그림 출처: 국립중앙박물관

 힌트
기찬이의 말을 잘 읽고, ❶과 ❷에 들어갈 말을 써 봐요.

음식 감상문 쓰기

달래
난 저기 있는 음식 다 좋아해. 꿀꺽!

밤톨
역시 달래는 먹는 것을 좋아해.

판판
그럼 내가 좋아하는 대나무의 잎도 한번 먹어 볼래?

와~ 정말 맛있어 보이네요. 오늘은 맛있는 음식을 먹고 음식 감상문을 써 봐요.

입력

음식을 먹고 느낀 점으로 음식 감상문을 써라!

음식을 먹고 감상문을 쓸 때에는 먼저 어떤 음식인지 간단하게 소개해요.

그리고 음식의 재료나 색깔, 맛, 모양 등에 대한 생각이나 느낌을 자유롭게 써요.

음식의 유래나 음식의 영양가 등에 대해서 조사해서 써도 좋아요.

● 그림에 맞는 퍼즐 모양을 찾아 선으로 잇고, 음식 감상문을 쓰는 방법을 알아보아요.

음식의 재료나 ○○, 맛, 모양 등에 대한 생각이나 느낌을 자유롭게 써요.

색깔

유래

음식의 ○○나 영양가 등에 대해서 조사해서 써도 돼요.

  음식 감상문에 들어갈 내용을 생각하며 문장을 따라 쓰세요.

초	밥	은	V	새	콤	한	V	밥	에	V
여	러	V	가	지	V	생	선	V	등	을	V
얹	은	V	일	본	V	음	식	이	에	요	.

음식 감상문 쓰기

● 다음 만화를 읽고, 음식 감상문을 써 보세요.

🐻 어휘 풀이

▼ **고향**|옛 고 故, 시골 향 鄕| 자기가 태어나서 자란 곳. 예 명절에는 고향을 찾아가는 사람들이 많다.

▼ **설레네요** 마음이 차분하지 않고 들떠서 두근거리네요.

　　예 가족 여행을 갈 생각에 벌써부터 마음이 설레네요.

▼ **하노이** 베트남 통킹만의 가운데에 있는 도시. 베트남의 수도임.

▼ **향토**|시골 향 鄕, 흙 토 土| 시골이나 고장. 예 그 고장의 향토 축제에는 무엇이 있니?

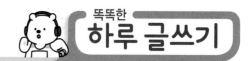

▶ 정답 및 해설 26쪽

낱말 쓰기

 1단계

다음 사진을 보고, 빈칸에 알맞은 낱말을 보기 에서 각각 골라 쓰세요.

◀ 분짜

보기

생선　　　국물

고기　　　가루

(1) 하얀 면, 잘 구워진 ☐☐, 초록빛의 채소가 조화를 이루어 더 맛있게 보였다.

(2) 면과 고기와 채소를 ☐☐ 에 적셔 먹어 보니 새콤하고 달콤하고 고소했다.

문장 쓰기

 2단계

1의 내용을 바탕으로 음식에 대한 생각이나 느낌을 두 문장으로 쓰세요.

❶　하얀 면, 　　　　　　　　　　　, 초록빛의 채소가

　　　　　　　　　　더 맛있게 보였다.

❷　면과 고기와 채소를 　　　　　　　　　먹어 보니

　　　　　　　　　　　　　　　　　.

한 편 쓰기

 3단계

2에서 쓴 문장을 넣어 음식 감상문을 완성해 보세요.

　　친구 집에 놀러 가서 '분짜'라는 음식을 먹었다. 분짜는 삶은 쌀국수 면을 돼지고기 숯불구이, 채소 등과 함께 양념이 된 차가운 국물에 적셔 먹는 음식이다.

❶ _____

_____ 그리고 ❷ _____

_____

　　이 분짜는 베트남 하노이 지방의 향토 음식이라고 하는데, 베트남의 다른 음식들도 먹어 보고 싶다.

1 낱말 고쳐쓰기

다음 낱말의 뜻을 보고, 밑줄 그은 낱말을 바르게 고쳐 쓰세요.

두텁다 믿음, 관계, 인정 등이 굳고 깊다.

두껍다 두께가 보통의 정도보다 크다.

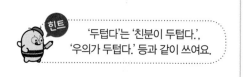

힌트 '두텁다'는 '친분이 두텁다.', '우의가 두텁다.' 등과 같이 쓰여요.

고기가 두터워서 씹는 맛이 아주 좋아요.

두 터 워 서

↓

☐ ☐ ☐ ☐

2 문장 고쳐쓰기

다음 친구가 쓴 문장 에서 밑줄 그은 낱말과 바꿔 쓸 수 있는 말을 보기 에서 골라 각각 바꿔 쓰고, 문장을 따라 쓰세요.

보기

달짝지근하고 약간 달콤한 맛이 있고.

시큼하고 맛이나 냄새 따위가 조금 시고.

매콤하고 냄새나 맛이 약간 맵고.

친구가 쓴 문장

분짜는 새콤하고 달콤하고 고소한 맛이 났다.

↓

분	짜	는	∨				∨	
			∨	고	소	한	∨	맛	이	∨
났	다	.						

● 다음 사진과 친구들의 대화를 보고, 빈칸에 알맞은 말을 넣어 음식 감상문을 완성하세요.

멕시코 음식인 타코는 빵에 채소나 고기, 해물 등을 싸서 먹는 음식이래.

알록달록하게 여러 재료가 섞여 있는 모습이 아주 먹음직스러워 보여.

고기와 해물, 채소가 듬뿍 들어 있어서 영양가도 좋을 것 같아.

4
주

　　멕시코의 대표적인 음식 중에 하나인 타코는 옥수숫가루 반죽을 살짝 구워 만든 토

르티야라는 빵에 ❶ _____

이라고 한다.

　　처음 음식이 나왔을 때 ❷ _____

_____ 보였다.

먹어 보니 달콤하고 고소한 소스 맛과 고기와 해물, 채소가 잘 어울려 맛있었다. 고기

와 해물, 여러 가지 채소가 듬뿍 들어 있어서 영양가도 좋을 것 같았다.

　　멕시코 음식은 처음 먹어 보았는데 내 입맛에 잘 맞았고, 다음에는 직접 멕시코에

가서 먹어 보고 싶다.

힌트　친구들의 대화를 읽고, ❶에는 음식에 대한 간단한 소개를,
❷에는 음식의 재료나 색깔 등에 대한 생각이나 느낌을 써 봐요.

5일 연극 감상문 쓰기

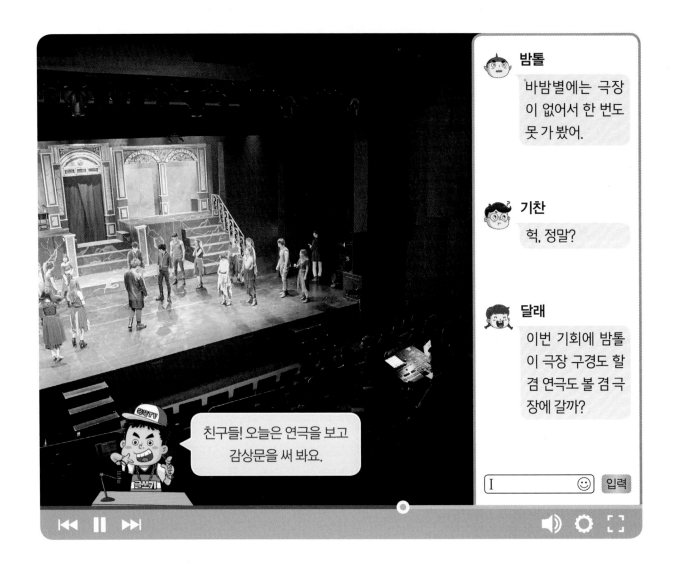

밤톨
바밤별에는 극장이 없어서 한 번도 못 가 봤어.

기찬
헉, 정말?

달래
이번 기회에 밤톨이 극장 구경도 할 겸 연극도 볼 겸 극장에 갈까?

친구들! 오늘은 연극을 보고 감상문을 써 봐요.

연극을 보고 느낀 점으로 연극 감상문을 써라!

연극을 보고 감상문을 쓸 때에는

연극의 제목, 연극을 보게 된 까닭, 등장인물, 줄거리 등을 간단하게 써요.

연극을 보면서 인상 깊었던 장면이나 연극의 무대,

주인공 등에 대해 느낀 점을 자유롭게 쓰면 돼요.

● 연극 감상문을 쓰는 방법에 맞게 빈칸에 알맞은 말을 따라 쓰세요.

연 극 감상문을 쓸 때에는 연극의 제 목 , 연극을 보게 된 까닭, 등장인물, 줄거리 등을 간단하게 써요. 그리고 연극을 보면서 인상 깊었던 장 면 이나 연극의 무 대 , 주 인 공 등에 대해 느낀 점을 자유롭게 써요.

● 위에서 따라 쓴 말을 모두 찾아 색칠해 보고, 어떤 모양이 나오는지 알아보아요.

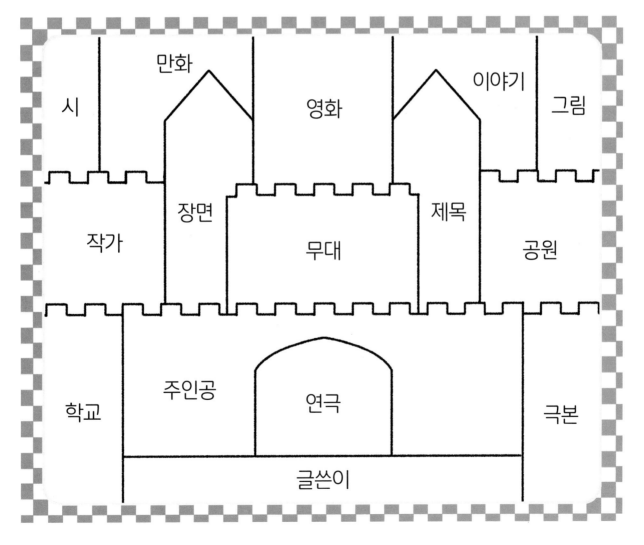

5일 연극 감상문 쓰기

● 다음은 「토끼의 재판」 연극의 한 장면이에요. 연극을 보고, 연극 감상문을 써 보세요.

어흥! 배가 고프니 너를 통째로 잡아먹어야겠다.

어이쿠, 호랑이님. 본색을 드러내시는군요. 조금 전에 궤짝에서 꺼내 주면 은혜를 갚겠다고 약속을 하셨잖아요.

어휘 풀이

▼**본색**|근본 본 本, 빛 색 色| 원래의 특색이나 본모습.
　　예 범인의 본색이 탄로 났다.

▼**드러내시는군요** 감춰지거나 알려지지 않았던 사실을 밝히시는군요.
　　예 제 돈을 다 가로채려는 속셈을 드러내시는군요.

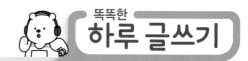

낱말 쓰기

다음은 연극을 보고 가장 인상 깊었던 장면을 쓴 것이에요. 빈칸에 알맞은 낱말을 쓰세요.

어흥! 나그네를 잡아먹어야겠다.

나그네가 호랑이를 궤짝에서 꺼내 주었는데, 호랑이가 ㄴ ㄱ ㄴ 를 잡아먹으려고 덤비는 부분이었다.

문장 쓰기

보기 에서 알맞은 말을 이용하여 **1**에서 쓴 장면에 대해 느낀 점을 쓰세요.

> **보기**
>
> 무서웠다   오싹할   등골이

호랑이 역을 맡은 친구가 "어흥!" 하고 나그네를 잡아먹으려고 할 때에 는   정도로 정말   .

한 편 쓰기

1과 **2**에서 쓴 문장을 넣어 연극 감상문을 완성하세요.

4
주

　친구네 반 학예회에서 「토끼의 재판」이라는 연극을 보았다. 교과서에 실린 극본은 읽은 적이 있지만 이렇게 연극으로 본 것은 처음이었다. 무대가 옛날 숲속의 모습처럼 잘 꾸며져 있어서 집중해서 볼 수 있었다.

　가장 인상 깊었던 장면은 나그네가 호랑이를 궤짝에서 꺼내 주었는데, ❶ __
_____

호랑이와 나그네 역을 맡은 친구들이 연기를 정말 잘했다. 특히, ❷ _____
_____

　은혜를 모르는 호랑이가 얄미운 생각도 들었지만 토끼의 꾀에 넘어가서 다시 궤짝 속에 갇힌 모습을 보니 불쌍하기도 했다. 그리고 토끼의 지혜를 배워야겠다는 생각이 들었다.

---

1 다음 설명을 잘 읽고, 밑줄 그은 낱말을 바르게 고쳐 쓰세요.

낱말
고쳐쓰기

> **드러내다** 감춰지거나 알려지지 않았던 사실을 밝히다.
>
> **들어내다** 안에 있던 물건을 들어서 밖으로 옮기다.

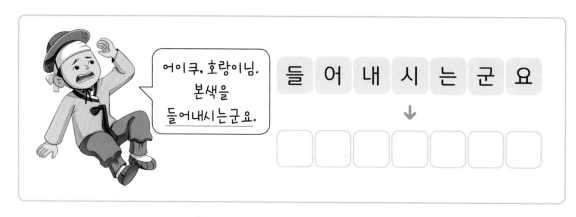

어이쿠, 호랑이님.
본색을
들어내시는군요.

들	어	내	시	는	군	요

↓

> 힌트 '들어내다'는 '이삿짐을 들어내다.', '창고에서 물건을 들어내다.' 등과 같은 문장에 쓰여요.

2 다음 에서 밑줄 그은 부분을 바르게 고치고, 문장을 따라 쓰세요.

문장
고쳐쓰기

> **친구가 쓴 문장**
> 조금 전에 <u>괘짝에서</u> 꺼내 주면 은혜를 <u>갑겠다고</u> 약속을 하셨잖아요.

↓

조	금	V	전	에	V				V
꺼	내	V	주	면	V	은	혜	를	V
	V	약	속	을	V	하	셨	잖	아	요	.

▶정답 및 해설 27쪽

● 재미있게 본 연극 한 편을 떠올려서 연극 감상문을 써 보세요.

「돌 장승 재판」
이라는 연극의
한 장면이구나.

우리도 재미있게
본 연극 한 편을
떠올려서 써 보자.

연극 제목	
등장인물	
줄거리	
느낀 점	

느낀 점을 쓸 때에는 인상 깊었던 장면이나 연극의
무대, 주인공 등에 대해 느낀 점을 자유롭게 써 봐요.

생활 어휘 다음 만화를 보며 속담의 뜻을 알아보고, 상황에 맞게 속담을 써 보세요.

불난 집에 부채질한다

속담의 뜻을 알아봐요!

불난 집에 부채질한다

이 속담은 "<u>남의 재앙을 점점 더 커지도록 만들거나 화난 사람을 더욱 화나게 한다.</u>"라는 뜻이랍니다.

이제 이 속담을 넣어 상황에 맞게 써 볼까요?

"☐☐☐☐☐☐ ☐☐☐"더니 언니는 엄마께 나의 다른 잘못도 일러바쳤다.

◉ 시 「봄」을 읽고 봄에 피는 꽃인 튤립을 사러 왔어요. 다음 뜻에 해당하는 낱말이 적힌 화분을 모두 찾아 ○표를 하세요.

- 잘 우는 아이.
- 폭이 좁고 오가는 사람이 많지 않아 조용하고 쓸쓸해 보이는 길.
- (옛날에) 아이들이 글을 배우던 곳.
- 예전에, 글방 선생을 이르던 말.
- 시골이나 고장.

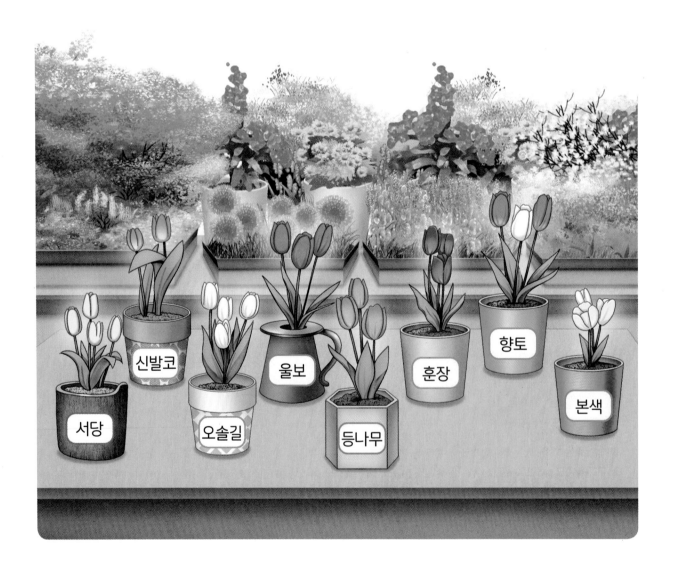

 창의   4주에 쓰인 **낱말과 그 뜻**을 익히며 사야 할 튤립 화분을 골라 봅니다.

▶정답 및 해설 28쪽

● 이야기 「작은 연못」을 읽고, 연못에 사는 생물들을 조사했어요. 조사한 내용을 읽으며 다음 연못 그림에서 지워야 할 생물을 두 가지 찾아 쓰세요.

연못에는 붕어 이외에도 많은 생물들이 모여 살고 있어요. 연못은 물이 흐르지 않고 고여 있기 때문에 작은 생물들이 살기에 적합한 환경이지요. 연못에 살고 있는 생물로는 물벼룩, 소금쟁이, 물방개, 미꾸라지, 자라, 부레옥잠, 개구리밥, 연꽃 등이 있어요.

이런 많은 동식물이 깨끗한 물에서 살 수 있도록 연못 주변의 환경을 보호해야 해요.

  그림에서 ☐☐☐☐ 와 ☐☐ 는 연못에 사는 생물이 아니므로 지워야 해요.

융합
국어+과학   이야기 「작은 연못」의 내용을 떠올려 보며, **연못에 사는 생물**에 대해 알아봅니다.

● 서윤이가 친구들이 쓴 그림 감상문을 읽고 국립중앙박물관에 그림을 보러 왔어요. 서윤이가 보고 싶은 그림을 모두 볼 수 있도록 알맞은 코딩 명령에 ○표를 하세요.

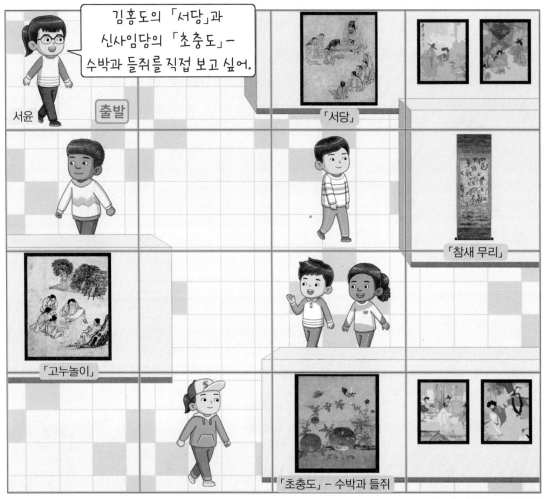

*그림 출처: 국립중앙박물관

코딩   그림 「서당」과 「초충도」 – 수박과 들쥐를 모두 보려면 어떤 **코딩 명령**이 필요한지 생각해 봅니다.

● 다음은 기찬이가 쓴 음식 감상문이에요. 기찬이는 어떤 음식을 먹고 감상문을 쓴 것인지 ☐ 안에 들어갈 알맞은 음식에 ○표를 하세요.

> 할머니 생신날 '☐☐☐☐☐'(이)라는 음식을 먹었다. ☐☐☐☐☐ 은/는 그릇의 가운데 칸에 밀전병을 담고 둘레의 여덟 칸에 각각 다른 음식을 담아 그 음식들을 밀전병에 싸서 먹는 우리나라 고유의 음식이다. 여러 가지 채소와 고기, 지단의 알록달록한 색이 예쁘고 보기에도 좋았다. 밀전병에 여러 가지 재료를 한꺼번에 싸서 먹으니 산뜻하고 고소한 맛이 났고, 아삭아삭 채소가 씹히는 느낌도 좋았다. ☐☐☐☐☐ 을/를 먹고 나니 왠지 더 건강해진 기분이 들었다.

| (1) 삼계탕 ( ) | (2) 오코노미야키 ( ) | (3) 구절판 ( ) |
| (4) 카레와 난 ( ) | (5) 쌀국수 ( ) | (6) 피자 ( ) |

 창의 음식 감상문을 쓰는 방법을 떠올려 보고, 어떤 음식을 먹고 쓴 감상문인지 알아봅니다.

1 다음은 무엇에 대한 설명인지 알맞은 말을 골라 ○표를 하세요.

> (전기문 , 감상문)은 시, 이야기, 그림, 연극 등을 보거나 음식을 먹고 나서 떠오르는 생각이나 느낌을 자유롭게 표현한 글이에요.

[2~3] 다음 시를 읽고, 물음에 답하세요.

> 우리 아기는
> 아래 발치에서 코올코올
>
> 고양이는
> 부뚜막에서 가릉가릉

2 이 시를 읽고 떠오르는 장면을 바르게 말한 친구의 이름을 쓰세요.

> **지수**: 아기가 낮잠을 자는 모습이 떠올라.
> **수혁**: 강아지가 울고 있는 모습이 떠올라.

(   )

글쓰기

3 이 시를 읽고 감상문을 쓸 때 빈칸에 알맞은 말을 시에서 찾아 쓰고, 문장을 따라 쓰세요.

	'	코	올	코	올	,	
			'		의	∨	느	낌
을	∨	살	려	∨	낭	송	하
니	∨	노	래	를	∨	부	르
는	∨	것	∨	같	다	.	

[4~5] 다음 글을 읽고, 물음에 답하세요.

> ㉠아빠께서 생일 선물로 주신 책 속에 이 「작은 연못」이라는 이야기가 있어서 읽게 되었다.
> 이 이야기는 작은 연못에서 사이좋게 지내던 두 붕어, 하양이와 노랑이가 먹이 때문에 욕심을 부리며 싸우다가 둘 다 죽게 되었다는 내용이다.
> ㉡욕심은 남도 해치지만 결국 자신도 해치게 된다는 것을 알게 되었다. 욕심을 부리지 말고 나누는 삶을 살아야겠다.

4 이 글은 무엇을 읽고 쓴 감상문인지 빈칸에 알맞은 말을 글에서 찾아 쓰세요.

> 「□□□□」이라는 이야기를 읽고 쓴 이야기 감상문이다.

5 이 글에서 ㉠과 ㉡은 각각 무엇에 해당하는지 선으로 이으세요.

(1) ㉠ •   • ① 이야기를 읽은 후의 생각이나 느낌

(2) ㉡ •   • ② 이야기를 읽게 된 까닭

[6~7] 다음 그림을 보고, 물음에 답하세요.

▲ 김홍도 「서당」

글쓰기

6 이 그림은 무엇의 모습을 나타낸 것인지 빈칸에 알맞은 낱말을 쓰고, 문장을 따라 쓰세요.

지	금	의	∨	학	교	와
같	은	∨			의	∨	모
습	을	∨	재	미	있	게	∨
표	현	했	다	.		

7 이 그림을 보고, 감상문에 들어갈 내용을 알맞게 말한 친구의 이름을 쓰세요.

> 희수: 조선 시대의 자연 풍경이 아름답게 보였다.
> 서윤: 선생님께 혼나서 우는 아이를 보니 예전에 숙제를 하지 않아서 선생님께 혼났던 경험이 떠올랐다.

( )

8 다음 문장에서 밑줄 그은 부분을 바르게 고쳐 쓰세요.

> 고기가 두터워서 씹는 맛이 좋다.

두터워서 → ⬜⬜⬜⬜

[9~10] 다음 글을 읽고, 물음에 답하세요.

> (가) 친구네 반 학예회에서 「토끼의 재판」이라는 연극을 보았다. 교과서에 실린 극본은 읽은 적이 있지만 이렇게 연극으로 본 것은 처음이었다.
> (나) 가장 인상 깊었던 장면은 나그네가 호랑이를 궤짝에서 꺼내 주었는데, 호랑이가 나그네를 잡아먹으려고 덤비는 부분이었다. 호랑이와 나그네 역을 맡은 친구들이 연기를 정말 잘했다. 특히, 호랑이 역을 맡은 친구가 "어흥!" 하고 나그네를 잡아먹으려고 할 때에는 등골이 오싹할 정도로 정말 무서웠다.

9 이 감상문은 어떤 연극을 보고 쓴 것인지 글에서 찾아 쓰세요.

「⬜⬜⬜⬜⬜」

10 글 (나)는 무엇에 대해 쓴 것인지 알맞은 것에 ○표를 하세요.

(1) 연극을 본 장소 ( )

(2) 인상 깊었던 장면 ( )

(3) 연극을 보게 된 까닭 ( )

똑똑한 하루 글쓰기 한권 끝!

글쓰기 공부 하느라 수고했어요.
교재를 꾸준히 잘 풀었는지 돌아보고 ○표를 하세요.

약속한 사람 _____

첫째, 하루하루 빠짐없이 꾸준히 공부했나요? 예   아니요

둘째, 하루 글쓰기 문제를 끝까지 다 풀었나요? 예   아니요

셋째, 또박또박 바르게 글씨를 썼나요? 예   아니요

아쉽고 부족한 부분을 스스로 돌아보고,
다음 단계를 공부할 때에는 더 열심히 해 봐요!

그럼, 다음 책으로 고고!

앞선 생각으로
더 큰 미래를 제시하는 기업

서책형 교과서에서 디지털 교과서,
참고서를 넘어 빅데이터와 AI학습에 이르기까지
끝없는 변화와 혁신으로
대한민국 교육을 선도해 나갑니다.

milk T

닥터매쓰

geniA.

천재교육 천재교과서

똑똑한 하루 시/리/즈

쉽다!

10분이면 하루치 공부를 마칠 수 있는 커리큘럼으로,
아이들이 초등 학습에 쉽고 재미있게 접근할 수 있도록
구성하였습니다.

재미있다!

교과서는 물론 생활 속에서 쉽게 접할 수 있는
다양한 소재와 재미있는 게임 형식의 문제로
흥미로운 학습이 가능합니다.

똑똑하다!

초등학생에게 꼭 필요한 학습 지식 습득은 물론
창의력 확장까지 가능한 교재로 올바른 공부습관을
가지는 데 도움을 줍니다.

과목	교재 구성	과목	교재 구성
하루 독해	예비초~6학년 각 A·B (14권)	하루 VOCA	3~6학년 각 A·B (8권)
하루 어휘	예비초~6학년 각 A·B (14권)	하루 Grammar	3~6학년 각 A·B (8권)
하루 글쓰기	예비초~6학년 각 A·B (14권)	하루 Reading	3~6학년 각 A·B (8권)
하루 한자	예비초: 예비초 A·B (2권) 1~6학년: 1A~4C (12권)	하루 Phonics	Starter A·B / 1A~3B (8권)
하루 수학	1~6학년 1·2학기 (12권)	하루 봄·여름·가을·겨울	1~2학년 각 2권 (8권)
하루 계산	예비초~6학년 각 A·B (14권)	하루 사회	3~6학년 1·2학기 (8권)
하루 도형	예비초~6학년 각 A·B (14권)	하루 과학	3~6학년 1·2학기 (8권)
하루 사고력	1~6학년 각 A·B (12권)	하루 안전	1~2학년 (2권)

※ 각 교재별 출간 시기는 조금씩 다르며, 일부 교재는 순차적으로 출시될 예정입니다.

기초
학습능력 강화
프로그램

똑똑한
하루
글쓰기

4 단계 B
3~4학년

정답 및
해설

천재교육

정답 및 해설
포인트 3가지

▶ 혼자서도 이해할 수 있는 친절한 문제 풀이

▶ 문제 해결에 도움을 주는 '더 알아보기'와
  틀린 부분을 짚어 주는 '왜 틀렸을까?'

▶ 예시 답안과 단계별 채점 기준 제시로
  실전 서술형 문항 완벽 대비

똑 똑 한

하루
글쓰기

4단계
B
3~4학년

정답 및 해설

1주 2쪽
2주 9쪽
3주 16쪽
4주 23쪽

10~11쪽 1주에는 무엇을 공부할까? ❷

1-1 (3) ○   1-2 ㉠   2-1 한 일   2-2 (1) ○

1-1 (1)은 주장하는 글을, (2)는 이야기를, (3)은 설명하는 글을 읽고 요약하는 방법입니다.

1-2 ㉠이 문단에서 중요한 내용입니다.

2-1 전기문을 읽고 요약할 때에는 인물이 한 일을 차례대로 찾아 정리합니다.

2-2 장기려가 한 말을 살펴봅니다.

1일

13쪽 똑똑한 하루 글쓰기 미리 보기

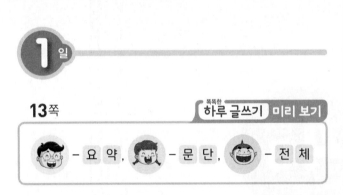 – 요약, – 문단, – 전체

14~15쪽 똑똑한 하루 글쓰기

1 인형극이란 나무나 헝겊, 종이 따위로 만든 인형을 움직여 무대 위에서 상연하는 연극입니다.

2

문단 ❷	줄 인형극은 인형의 머리, 손, 발 등에 줄을 매달아 표현하는 인형극입니다.
문단 ❸	손 인형극은 인형을 손에 끼워 조종하는 인형극입니다.
문단 ❹	그림자 인형극은 인형에 빛을 비추어 생기는 그림자로 표현하는 인형극입니다.

3 ❶ 예 인형극이란 나무나 헝겊, 종이 따위로 만든 인형을 움직여 무대 위에서 상연하는 연극입니다. ❷ 줄 인형극은 인형의 예 머리, 손, 발 등에 줄을 매달아 표현하는 인형극이고, 손 인형극은 예 인형을 손에 끼워 조종하는 인형극이며, 그림자 인형극은 인형에 예 빛을 비추어 생기는 그림자로 표현하는 인형극입니다.

1 문단 ❶에서 중요한 내용은 인형극의 뜻을 설명한 첫 번째 문장입니다.

2 문단 ❷에서는 줄 인형극의 뜻을, 문단 ❸에서는 손 인형극의 뜻을, 문단 ❹에서는 그림자 인형극의 뜻을 설명한 문장이 중요한 내용입니다.

3 1과 2에서 쓴 내용을 넣어 요약한 내용을 완성합니다.

채점 기준

각 문단의 중요한 내용을 찾아 이어서 전체 내용을 하나로 묶어 썼으면 정답입니다.

16쪽 똑똑한 하루 글쓰기 고쳐쓰기

1 손 인형극은 인형을 만들거나 다루기 쉬워 꽤 쉽게 공연을 할 수 있습니다.

2

인	형	극	이	란	V	나	무	나	V	헝
겊	,		종	이	V	따	위	로	V	만	든	V
인	형	을	V	움	직	여	V	무	대	V	위
에	서	V	상	연	하	는	V	연	극	입	니
다	.

1 '비교적'은 '일정한 수준이나 보통 정도보다 꽤.'라는 뜻의 낱말로, 낱말 '꽤'와 바꾸어 쓸 수 있습니다.

2 '헝겊', '상연하는'으로 써야 합니다.

17쪽 똑똑한 하루 글쓰기 마무리

피자를 ❶ 원 모양으로 만드는 까닭은 작은 반죽 덩어리를 원 모양으로 빚었을 때 그 위에 ❷ 피자 재료를 많이 얹을 수 있고, 열을 받을 수 있는 최대 면적이 나와 빵을 구울 때 ❸ 열이 효과적으로 전달되기 때문이에요.

◎ 피자를 원 모양으로 만드는 까닭을 찾아 정리합니다.

채점 기준

구분	답안 내용	
평가 기준	❶~❸ 모두 알맞게 썼습니다.	상
	❶~❸ 중 두 가지만 알맞게 썼습니다.	중
	❶~❸ 중 한 가지만 알맞게 썼습니다.	하

2일

19쪽 — 똑똑한 하루 글쓰기 미리 보기

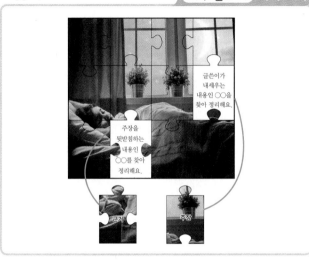

글쓴이가 내세우는 내용인 ○○을 찾아 정리해요.

주장을 뒷받침하는 내용인 ○○를 찾아 정리해요.

근거 / 주장

20~21쪽 — 똑똑한 하루 글쓰기

1 잠 을 충분히 자야 해요.

2 잠이 부족하면 학습 능력이 낮아지고, 비만이 될 수도 있어요.

3

	잠	을	∨	충	분	히	∨	자	야	∨	해
요	.	왜	냐	하	면	∨	잠	이	∨	부	족
하	면	∨	학	습	∨	능	력	이	∨	낮	아
지	고	,	비	만	이	∨	될	∨	수	도	∨
있	기	∨	때	문	이	에	요	.			

1 글쓴이는 잠을 충분히 자야 한다고 말하였습니다.

〔 더 알아보기 〕

자신의 생각 주장하기

• 주장하려는 내용이 무엇인지 정확히 파악합니다.

• 주장을 뒷받침하기 위한 근거를 마련합니다.

• 주장과 근거가 잘 어울리는지 살펴봅니다.

• 타당한 근거를 제시하며 자신의 생각을 주장합니다.

2 글쓴이는 잠을 충분히 자야 한다는 주장을 뒷받침하는 근거로 잠이 부족하면 학습 능력이 낮아지고, 비만이 될 수도 있다는 내용을 들었습니다.

3 주장과 근거를 정리하여 요약한 내용을 완성합니다.

채점 기준

❶에는 주장을, ❷에는 근거를 찾아 정리한 내용을 모두 알맞게 썼으면 정답입니다.

22쪽 — 똑똑한 하루 글쓰기 고쳐쓰기

1 공부할 시간이 부족해서, 혹 은 더 오래 놀고 싶어서 잠자는 시간을 줄여 본 적이 있나요?

2

	잠	이		부	족	하	면		비	만	이
될		수	도		있	어	요	.			

1 '그렇지 않으면'이라는 말은 '그렇지 않으면. 또는 그것이 아니라면.'이라는 뜻의 낱말인 '혹은'과 바꾸어 쓸 수 있습니다.

2 '∨(쐐기표)' 부분을 원고지에서 한 칸씩 띄어 쓰면 됩니다.

23쪽 — 똑똑한 하루 글쓰기 마무리

예	편	식	하	지		말	자	.		왜	냐	하
	면		편	식	을		하	면		균	형	
	있	는		신	체		발	달	이		어	렵
	고	,		환	경	도		오	염	되	기		때
	문	이	다	.								

◉ 편식하지 말자는 주장을 뒷받침하는 근거를 두 가지 찾아 정리하여 써 봅니다.

채점 기준

구분	답안 내용	
평가 기준	편식하지 말자는 주장을 뒷받침하는 근거를 두 가지 모두 찾아 '왜냐하면'과 어울리게 정리하여 썼습니다.	상
	편식하지 말자는 주장을 뒷받침하는 근거를 두 가지 모두 찾았지만 '왜냐하면'과 어울리게 정리하여 쓰지 못하였습니다.	중
	편식하지 말자는 주장을 뒷받침하는 근거를 한 가지만 찾아 정리하여 썼습니다.	하

3일

25쪽 · 똑똑한 **하루 글쓰기** 미리 보기

26~27쪽 · 똑똑한 **하루 글쓰기**

1 옛날, 산 속 무덤 옆에서 잠을 자던 영감에게 무덤 속 귀신들이 머리에 쓰면 사람들 눈에는 보이지 않게 되는 능텅 감투를 씌워 주고는 함께 제사 음식을 먹으러 갔다.

2 다음 날 영감은 능텅 감투를 쓴 채 집으로 달아나 그 날부터 제사를 지내는 집만 찾아다니며 제사 음식을 훔쳐 먹었다.

3 ❶ 예 옛날, 산속 무덤 옆에서 잠을 자던 영감에게 무덤 속 귀신들이 머리에 쓰면 사람들 눈에는 보이지 않게 되는 능텅 감투를 씌워 주고는 함께 제사 음식을 먹으러 갔다.

❷ 다음 날 **예** 영감은 능텅 감투를 쓴 채 집으로 달아나 그 날부터 제사를 지내는 집만 찾아다니며 제사 음식을 훔쳐 먹었다.

1 시간적 배경은 옛날, 공간적 배경은 산속입니다.

2 인물은 영감이고, 사건은 영감이 능텅 감투를 쓴 채 달아나 그날부터 제사를 지내는 집만 찾아다니며 제사 음식을 훔쳐 먹은 일입니다.

{ 더 알아보기 }

이야기 속 사건의 흐름

발단	이야기가 시작되는 부분
전개	사건 또는 갈등이 시작되는 부분
절정	긴장감이 가장 높아지는 부분
결말	사건이 해결되는 부분

3 배경, 인물, 사건을 찾아 정리해 봅니다.

채점 기준

배경, 인물, 사건을 모두 알맞게 찾아 이야기의 내용을 요약하여 썼으면 정답입니다.

28쪽 · 똑똑한 **하루 글쓰기** 고쳐쓰기

1 잃고

2 제사 음식을 실컷 먹고, 날이 밝자 능텅 감투를 쓴 채 집으로 달아났어.

1 길을 못 찾게 되었을 때에는 낱말 '잃다'를 써야 하므로 '잊고'를 '잃고'로 고쳐 써야 합니다.

2 '박짜'는 '밝자'로 고쳐 쓰고, '쓴채'는 '쓴∨채'와 같이 띄어 써야 합니다.

29쪽 · 똑똑한 **하루 글쓰기** 마무리

어느 날, 능텅 감투의 재를 온몸에 바른 **❶**영감은 **❷**상갓집에 들어가 **❸**제사 음식을 훔쳐 먹다 들켜서 창피를 당했다.

◉ **❶**에 들어갈 인물은 '영감은'이고, **❷**에 들어갈 배경은 이야기가 펼쳐지는 장소인 '상갓집'이며, **❸**에 들어갈 사건은 '제사 음식을 훔쳐 먹다 들켜서 창피를 당했다.'입니다.

채점 기준

구분	답안 내용	
평가 기준	❶~❸ 모두 알맞게 썼습니다.	상
	❶~❸ 중 두 가지만 알맞게 썼습니다.	중
	❶~❸ 중 한 가지만 알맞게 썼습니다.	하

4일

 – 여 정, – 견 문, – 감 상

1 해 인 사 에 가서 팔 만 대 장 경 을 보았는데, 팔만대장경을 보관하는 장경판전은 통풍이 잘되는 구조로 설계되었다는 사실을 들었다.

2 우리 조 상 들 이 슬 기 롭 다 고 생각했고, 집으로 돌아오며 팔만대장경의 섬세함과 정교함이 자 랑 스 럽 게 느껴졌다.

3 ❶ 예 해인사에 가서 팔만대장경을 보았는데, 팔만대장경을 보관하는 장경판전은 통풍이 잘되는 구조로 설계되었다는 사실을 들었다. **❷** 우리 **예** 조상들이 슬기롭다고 생각했고, 집으로 돌아오며 팔만대장경의 섬세함과 정교함이 자랑스럽게 느껴졌다.

1 여정은 해인사이고, 견문 중 본 것은 팔만대장경입니다.

┌─ **더 알아보기** ─┐

팔만대장경

　팔만대장경은 고려 고종 때 부처의 힘으로 외적을 물리치기 위해 목판에 글자를 새겨 만든 것입니다. 고려 사람들은 나라에 어려운 일이 생기면 부처님의 힘에 의지하여 어려움을 이겨 내고자 하였습니다. 다른 민족의 침입으로 고통을 겪게 된 고려 사람들은 부처님의 말씀을 되새기면서 마음을 하나로 모았습니다. 원래 고려가 처음 만든 대장경은 초조대장경이라 하는데, 거란의 침입을 물리치기 위해 만들어졌으나 몽골군이 침입하였을 때 불타 없어졌습니다. 그래서 부처님의 힘으로 몽골군의 침입을 막겠다는 의지로 다시 만든 것이 팔만대장경입니다. 다시 만들어졌다고 해서 재조대장경이라고도 합니다.

2 글쓴이는 팔만대장경을 보고 우리 조상들이 슬기롭다고 생각했고, 팔만대장경의 섬세함과 정교함이 자랑스럽게 느껴졌다고 하였습니다.

3 여정, 견문, 감상을 찾아 정리하여 요약한 내용을 완성해 봅니다.

> **채점 기준**
>
> 　여정, 견문, 감상을 모두 알맞게 찾아 정리하여 썼으면 정답으로 합니다.

1 설 레 는

2

아	빠	께	서	∨	운	전	하	시	는	∨
차	를	∨	타	고	∨	두	∨	시	간	∨	남
짓	∨	달	리	자	∨	해	인	사	에	∨	도
착	했	다	.

1 '마음이 가라앉지 않고 들떠서 두근거리는.'이라는 뜻의 낱말은 '설레는'이라고 써야 합니다.

2 단위를 나타내는 말인 '시간'은 앞말과 띄어 써야 하고, '남짓'은 혼자서는 쓸 수 없는 낱말로 쓸 때에는 앞말과 띄어 써야 하므로 '두시간남짓'은 '두∨시간∨남짓'으로 띄어 써야 합니다.

　제주 공항으로 가는 길에 **❶** 용 두 암 을 보러 갔다. 이름 그대로 용의 머리를 닮은 **❷** 바 위 를 보았다. 용이 되어 하늘로 올라가는 것이 소원이던 백마가 장수의 손에 잡힌 후 바위로 굳어졌다는 용두암 **❸** 전 설 도 들었다. 용두암을 빚어 낸 바람과 파도가 훌륭한 **❹** 조 각 가 같다고 생각했다.

○ **❶**에는 여정에 해당하는 말을, **❷**에는 본 것을, **❸**에는 들은 것을, **❹**에는 생각하거나 느낀 것을 써야 합니다.

> **채점 기준**
>
> | 구분 | 답안 내용 | |
> |---|---|---|
> | 평가 기준 | **❶~❹** 모두 알맞게 썼습니다. | 상 |
> | | **❶~❹** 중 세 가지만 알맞게 썼습니다. | 중 |
> | | **❶~❹** 중 한두 가지만 알맞게 썼습니다. | 하 |

5일

37쪽 — 하루 글쓰기 미리 보기

한	강	시 대
일	전	금 머
정	기	치 리
장	문	어 발

❶ 전기문
❷ 시대
❸ 한일

38~39쪽 — 하루 글쓰기

1 의사 장기려는 입원비가 없는 환자를 몰래 뒷 문으로 내보냈다.

2 우리나라 최초의 의료 보험 조합인 청 십 자 의료 보험 조합을 설립했다.

3

	의	사	V	장	기	려	는	V	입	원	비
가	V	없	는	V	환	자	를	V	몰	래	V
뒷	문	으	로	V	내	보	냈	고	,	우	리
나	라	V	최	초	의	V	의	료	V	보	험	V
조	합	인	V	청	십	자	V	의	료	V	보
험	V	조	합	을	V	설	립	했	다	.	

1 글 (가)에서 장기려가 한 일은 입원비가 없는 환자를 몰래 뒷문으로 내보낸 것입니다.

> **더 알아보기**
> 전기문을 읽을 때에는 인물이 살았던 시대 상황과 인물이 한 일을 생각하고, 인물의 가치관을 짐작해야 합니다.

2 글 (나)에서 장기려가 한 일은 우리나라 최초의 의료 보험 조합인 청십자 의료 보험 조합을 설립한 것입니다.

3 1과 2에서 쓴 내용을 넣어 장기려가 한 일을 차례대로 정리하여 요약한 내용을 완성해 봅니다.

> **채점 기준**
> 장기려가 한 일 두 가지를 차례대로 알맞게 정리하여 썼으면 정답입니다.

40쪽 — 하루 글쓰기 고쳐쓰기

1 ⑩ 빨리 나가서 농사를 지어야 치 료 비를 갚을 거 아닙니까?
⑩ 빨리 나가서 농사를 지어야 진 찰 비를 갚을 거 아닙니까?
⑩ 빨리 나가서 농사를 지어야 진 찰 료를 갚을 거 아닙니까?

2

	병	원	이	V	아	픈	V	사	람	들	을	V
무	료	로	V	치	료	해	V	줄	V	만	큼	
은	V	되	지	요	.						

1 '진찰받는 환자가 의사나 병원에 치르는 요금.'이라는 뜻의 낱말 '진료비'는 '치료비', '진찰비', '진찰료'와 바꾸어 쓸 수 있습니다.

2 '줄'과 같이 형태가 바뀌는 낱말 가운데에서 '—ㄹ'로 끝나는 말 뒤에서는 '만큼'을 띄어 써야 하므로 '줄 V만큼은'이라고 띄어 써야 합니다.

41쪽 — 하루 글쓰기 마무리

⑩

	의	사		장	기	려	는		19	79	년
에		막	사	이	사	이	상	을		받	았
는	데	,	그		상	금	을		청	십	자
의	료		보	험		조	합	에		모	두
기	부	했	다	.							

○ 장기려가 한 일을 찾아 차례대로 정리하여 써 봅니다.

채점 기준

구분	답안 내용	
평가 기준	장기려가 막사이사이상을 수상하고, 그 상금을 기부한 일을 알맞게 썼습니다.	상
	장기려가 막사이사이상을 수상한 일만 썼습니다.	중
	장기려가 막사이사이상을 수상한 일을 쓰지 못하였습니다.	하

특강 똑똑한 하루 창의·융합·코딩

43쪽

"강물도 쓰면 준다"더니 스케치북을 어제 샀는데 헤프게 썼더니 한 장밖에 안 남았다.

44쪽

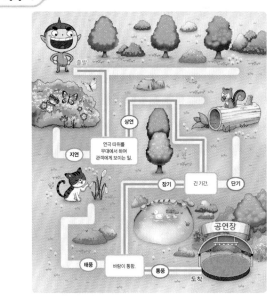

◎ '연극 따위를 무대에서 하여 관객에게 보이는 일.'이라는 뜻의 낱말은 '상연'입니다. '긴 기간.'이라는 뜻의 낱말은 '장기'입니다. '바람이 통함.'이라는 뜻의 낱말은 '통풍'입니다.

{ 왜 틀렸을까? }

- **지연**: 무슨 일을 더디게 끌어 시간을 늦춤. 또는 시간이 늦추어짐.
- **단기**: 짧은 기간.
- **태풍**: 주로 7~9월에 태평양에서 한국, 일본 등 아시아 대륙 동부로 불어오는, 거센 폭풍우를 동반한 바람.

45쪽

채민이가 잠을 잔 시간은 총 9 시간이에요.

◎ 채민이는 밤 10시에 자서 아침 7시에 일어났기 때문에 잠을 잔 시간은 총 9시간입니다.

46쪽

◎ 이야기 「능텅 감투」 중 영감이 제사 음식을 훔쳐 먹다 사람들에게 들켜서 창피를 당하는 장면입니다. 숨어 있는 그림을 모두 찾아 봅니다.

47쪽

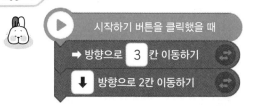

◎ 완성한 코딩 명령에 따라 이동하면 다음과 같습니다.

48~49쪽

> **1** 짧게   **2** ㉠
> **3** 줄   **4** ③, ⑤
> **5** 잠을 충분히 자야 해요. 왜냐하면 잠이 부족하면 학습 능력이 낮아지기 때문이에요.
> **6** ③
> **7** 옛날, 산속 무덤 옆에서 잠을 자던 영감에게 무덤 속 귀신들이 머리에 쓰면 사람들 눈에는 보이지 않게 되는 능텅 감투를 씌워 주고는 함께 제사 음식을 먹으러 갔다. 다음 날 영감은 능텅 감투를 쓴 채 집으로 달아나 그날부터 제사를 지내는 집만 찾아다니며 제사 음식을 훔쳐 먹었다.
> **8** 팔만대장경   **9** 감상
> **10** (2) ○

1 요약은 말이나 글에서 중요한 것을 골라 짧게 만드는 것을 말합니다.

> ┤ 더 알아보기 ├
>
> **읽는 목적을 생각하며 글을 요약하면 좋은 점**
> • 글의 내용을 정확하게 알 수 있습니다.
> • 글의 내용을 좀 더 효과적으로 이해할 수 있습니다.
> • 생각을 정리하는 데 도움이 됩니다.

2 ㉠'형겁'은 '형겊'이라고 쓰는 것이 맞습니다.

3 문단 ㈏에는 줄 인형극에 대한 설명이 나와 있습니다.

4 이 글과 같이 주장하는 글을 요약할 때에는 주장과 근거를 찾아 정리해야 합니다.

> ┤ 왜 틀렸을까? ├
>
> ① 감상, ② 견문, ④ 여정은 기행문을 읽고 요약할 때에 찾아 정리해야 할 것들입니다.

5 이 글에서 주장은 '잠을 충분히 자야 해요.'이고, 근거는 '잠이 부족하면 학습 능력이 낮아져요.'입니다. 따라서 이 글을 읽고 요약할 때에는 이와 같은 주장과 근거를 찾아 정리하면 됩니다.

6 '박짜'는 '밝자'를 잘못 쓴 것입니다. '밝자'는 [박짜]로 소리 나지만, 쓸 때에는 '밝자'라고 쓰는 것이 맞습니다.

7 영감에게 어떤 일이 일어났는지 정리하여 써 봅니다.

8 글쓴이는 해인사에 가서 장경판전에 보관되어 있는 팔만대장경을 보았습니다.

> ┤ 더 알아보기 ├
>
> **기행문**
>   기행문은 여행하면서 체험하거나 느낀 것을 자유롭게 쓴 글입니다. 기행문에는 글쓴이가 보거나 들은 것들이 사실대로 드러나 있습니다. 또한 글쓴이의 솔직한 마음과 여행지에서 느낀 특별한 감상도 잘 드러나 있습니다. 그래서 기행문을 쓸 때에는 사실 그대로의 내용과 글쓴이의 느낌을 잘 구분해서 써야 합니다.

9 ㉠은 글쓴이가 팔만대장경을 보고 생각한 것이므로 감상에 해당합니다.

10 '만큼'은 '줄'과 같이 형태가 바뀌는 낱말 가운데에서 '-ㄹ'로 끝나는 말 뒤에서는 띄어 써야 하므로 '줄∨만큼은'이라고 띄어 쓴 (2)가 알맞게 띄어 쓴 문장입니다.

한 주 동안
수고했어요!

52~53쪽　　　2주에는 무엇을 공부할까? ❷

1-1 (1) ○ (2) ○　　　**1-2** 인물이 한 일
2-1 본받을 점　　　　**2-2**

1-1 전기문을 읽고 독서 감상문을 쓸 때에는 인물이 어떤 존경받을 만한 일을 하였는지, 세상에 남긴 업적은 무엇인지 생각하며 인물이 한 일을 씁니다.

1-2 현호는 정약용이 한 일을 정리하여 썼습니다.

2-1 전기문을 읽고 인물에게 본받을 점이나 앞으로의 다짐을 쓰며 생각이나 느낌을 정리할 수 있습니다.

2-2 남자아이는 전기문을 읽게 된 까닭을 썼습니다.

1일

55쪽　　　똑똑한 하루 글쓰기 미리 보기

56~57쪽　　　똑똑한 하루 글쓰기

1 (1) 어린이날에 선물을 받고, 어린이날이 만들어진 까닭이 궁금해졌다.
　(2) 어린이날을 만든 방정환의 전기문을 읽었다.
2 ❶ 어린이날에 선물을 받고, 어린이날이 만들어진 까닭이 궁금해졌다.
　❷ 어린이날을 만든 방정환의 전기문을 읽었다.

3
어	린	이	날	에	∨	선	물	을	∨	받
고	,		어	린	이	날	이	∨	만	들	어	진	∨
까	닭	이	∨	궁	금	해	졌	다	.	그	래
서	∨	어	린	이	날	을	∨	만	든	∨	방
정	환	의	∨	전	기	문	을	∨	읽	었	다	.

1 (1) 달래는 어린이날이 만들어진 까닭을 궁금해하였습니다.
　(2) 달래는 방정환의 전기문을 읽었습니다.

2 **1**에서 답한 내용을 바탕으로 전기문을 읽게 된 까닭을 두 문장으로 정리해 봅니다.

3 **2**에서 완성한 문장을 넣어 독서 감상문에 들어갈 전기문을 읽게 된 까닭을 알맞게 씁니다.

채점 기준
　달래가 전기문을 왜 읽게 되었는지 잘 드러나게 썼으면 정답으로 합니다.

58쪽　　　똑똑한 하루 글쓰기 고쳐쓰기

1 로 봇
2
너	무	∨	섭	섭	해	하	지	∨	마	.
나	랑	∨	같	이	∨	전	기	문	∨	읽	자	.

1 '로보트'에서 '트'를 빼고, '보'에 'ㅅ' 받침을 넣어 '로봇'으로 고쳐 써야 합니다.

2 '섭섭하다'와 같이 사물의 성질이나 상태를 나타내는 말 뒤에 '−어하다'가 오면 붙여 써야 합니다.

59쪽　　　똑똑한 하루 글쓰기 마무리

❶ 예 수업 시간에 배운 고구려에 대해 더 알고 싶어서 ❷
예 광개토 대왕의 전기문을 읽었다.

❖ ❶에 전기문을 읽게 된 까닭, ❷에 인물의 이름을 씁니다.

채점 기준
구분	답안 내용	
평가 기준	책을 왜 읽게 되었는지와 인물의 이름을 넣어 알맞은 문장을 썼습니다.	상
	책을 왜 읽게 되었는지와 인물의 이름을 넣어 문장을 썼지만 맞춤법에 어긋나는 부분이 있습니다.	중
	인물의 이름만 썼습니다.	하

61쪽

 - 시 대 , - 존 경 , 😆 - 업 적

62~63쪽

1 당시에는 일부 지역만 나타내는 지도만큼이나 자 세 하게 그려진 전국 지도가 없었다.

2 자 세 하 고 정 확 한 지 리 정 보 가 담겨 있으면서도 휴대가 간편한 대동여지도를 만들어 냈다.

3 김정호는 주위 사람들의 도움을 받아 여러 가지 지도들을 구해 연구했다. 때로는 고을들을 직접 오가며 지리 정보를 얻기도 했다. 마침내 김정호는 몇십 년의 피나는 노력 끝에 ⑩ <u>자세하고 정확한 지리 정보가 담겨 있으면서도 휴대가 간편한 대동여지도를 만들어 냈다.</u>

---

1 김정호가 살았던 조선 시대에는 군, 현을 나타내는 지도만큼이나 자세하게 그려진 전국 지도가 없었습니다.

2 대동여지도는 이전의 지도보다 산맥, 하천, 길 등이 자세하고 정확하게 표시되어 있고, 차곡차곡 접으면 한 권의 책이 되어 이용하기 편했습니다.

〔 더 알아보기 〕

대동여지도
　조선 후기의 지리학자 김정호가 1861년에 만든 22첩의 병풍식 전국 지도첩입니다. 22첩을 모두 연결하면 세로 약 6.6미터, 가로 3.8미터에 이르는 초대형 지도가 됩니다.

3 2에서 답한 문장을 넣어 김정호가 한 일을 알맞게 완성해 봅니다.

〔 채점 기준 〕

　당시 시대 상황에서 김정호가 존경받을 만한 일로 한 일이 잘 드러나게 썼으면 정답으로 합니다.

64쪽

1 시 선

2 때 로 는 ∨ 고 을 들 을 ∨ 직 접 ∨ 오 가 며 ∨ 지 리 ∨ 정 보 를 ∨ 얻 기 도 ∨ 했 다 .

1 문장에서 쓰인 '눈길'은 '주의나 관심을 비유적으로 이르는 말.'이라는 뜻이므로 '시선'과 바꾸어 쓸 수 있습니다.

2 '오고'와 '가다'를 합해 '오가다'라고 쓸 수 있습니다. 이처럼 우리말에는 낱말에 다른 낱말을 합해 만든 낱말이 많습니다.

〔 더 알아보기 〕

낱말에 다른 낱말을 합해 만든 낱말 ⑩
• 높다 + 푸르다 = 높푸르다
• 열다 + 닫다 = 여닫다
• 책 + 가방 = 책가방
• 돌 + 다리 = 돌다리

65쪽

	장	영	실	은		해	시	계	인		앙
부	일	구	,		물	시	계	인		자	격	루
를		만	들	어		백	성	들	의		실
생	활	에		큰		도	움	을		주	었
다	.										

◉ 보기 에서 장영실이 한 일이 잘 드러나는 문장을 골라 씁니다.

채점 기준

구분	답안 내용	
평가 기준	보기 중 두 번째 문장을 골라 맞춤법과 띄어쓰기에 맞게 썼습니다.	상
	보기 중 두 번째 문장을 골라 썼지만 맞춤법이나 띄어쓰기가 틀린 부분이 있습니다.	중
	장영실이 한 일과 관련 없는 내용을 썼습니다.	하

3일

67쪽 — 똑똑한 하루 글쓰기 미리 보기

❶ 가 치 관
❷ 실 천
❸ 행 동

실	열	교	수
천	정	편	지
연	가	치	관
행	동	제	목

68~69쪽 — 똑똑한 하루 글쓰기

1 (1) 말: 포 기 하지 않고 더 노력해서 아름다운 음악을 만들겠다고 말했다.

　(2) 행동: 더 열심히 피 아 노 를 치며 작곡을 했다.

2 베토벤은 쉽게 포 기 하 지 않 고 노 력 하 는 삶 을 사는 것을 중요하게 생각하였다.

3 베토벤은 귓병이 심해져 괴로워했지만 포기하지 않고 더 열심히 작곡에 매달렸다. 그 결과 「운명」, 「전원」, 「영웅」, 「합창」 같은 뛰어난 작품을 계속 발표할 수 있었다. / 베토벤은 예 쉽게 포기하지 않고 노력하는 삶을 사는 것을 중요하게 생각하였다.

1 (1) 그림에서 베토벤은 '포기하지 않고 더 노력해서 아름다운 음악을 만들어야지.'라고 말하고 있습니다.

　(2) 그림에서 베토벤은 피아노를 치고 있습니다.

2 1에서 답한 내용을 보고 베토벤이 무엇을 중요하게 생각하고 있는지 정리하여 씁니다.

3 전기문을 읽고 독서 감상문에 책 내용을 쓸 때에는 인물이 한 일과 인물의 가치관을 씁니다. 빈칸의 앞부분에 나타난 베토벤이 한 일을 보며 2에서 답한 베토벤의 가치관을 넣어 씁니다.

채점 기준

　베토벤이 무엇을 중요하게 생각하는 인물이었는지 잘 드러나게 썼으면 정답으로 합니다.

70쪽 — 똑똑한 하루 글쓰기 고쳐 쓰기

1 (1) 제 대 로 　(2) 귓 병

2

베	토	벤	은	V	삶	을	V	포	기	하
겠	다	는	V	마	음	을	V	고	쳐	먹	고	V
전	보	다	V	훨	씬	V	더	V	열	심	히	V
작	곡	에	V	매	달	렸	어	요	.		

1 (1) '제데로'는 '제대로'로 고쳐 써야 합니다. '제대로'는 '마음먹은 대로.'라는 뜻입니다.

　(2) '귀병'은 '귓병'으로 고쳐 써야 합니다. '귓병'은 '귀를 앓는 병을 통틀어 이르는 말.'입니다.

2 '살믈'은 '삶을'을 소리가 나는 대로 쓴 것이고, '고쳐 먹고'는 '고쳐먹고'를 잘못 띄어 쓴 것입니다.

71쪽 — 똑똑한 하루 글쓰기 마무리

　예 헬렌 켈러는 쉽게 포기하지 않고 끊임없이 노력하는 것을 중요하게 여겼다. 또, 어려운 처지에 있는 다른 사람을 도와주는 것도 중요하게 생각했다.

◎ 두 친구가 말한 내용을 참고하여 헬렌 켈러의 가치관을 씁니다.

채점 기준

구분	답안 내용	
평가 기준	두 친구가 말한 내용 중 한 가지 이상의 가치관을 잘 정리하여 썼습니다.	상
	두 친구가 말한 내용 중 한 가지 이상의 가치관을 잘 정리하여 썼지만 맞춤법이나 띄어쓰기가 틀린 부분이 있습니다.	중
	헬렌 켈러의 가치관과 관련 없는 내용을 썼습니다.	하

〔 더 알아보기 〕

독서 감상문에 헬렌 켈러가 한 일 정리하기 예

　헬렌 켈러는 시력과 청력을 잃어버렸지만 끊임없는 노력으로 낱말과 사물의 관계를 깨닫고 글자를 통해 자기 생각을 전하는 방법을 배웠다. 그리고 자신과 같이 장애를 지닌 사람들을 도왔다.

4일

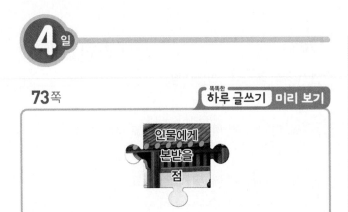

74~75쪽 | 똑똑한 **하루 글쓰기**

1 (1) 뉴턴이 한 일: 사소한 일에도 질문을 던지고 연구하며 만유인력 의 법칙을 발견하였다.

(2) 뉴턴의 가치관: 사소한 일이라도 깊이 생각하는 것을 중요하게 여겼다.

2 나는 뉴턴과 달리, 지금까지 주변의 일들을 주의 깊게 생각해 본 적이 별로 없었다.

3 나는 뉴턴과 달리, ❶ 예 지금까지 주변의 일들을 주의 깊게 생각해 본 적이 별로 없었다. 앞으로 ❷ 예 사소한 일이라도 깊이 생각하는 뉴턴의 모습을 본받아야겠다.

1 (1) 뉴턴은 우주의 모든 물체가 서로 잡아당기는 힘을 가지고 있다는 만유인력의 법칙을 발견했습니다.

(2) 뉴턴이 한 일로 보아, 뉴턴은 사소한 일이라도 그냥 넘기지 않고 깊이 생각하는 인물이었다는 것을 알 수 있습니다.

2 **1**에서 답한 뉴턴의 가치관과 기찬이가 생각한 내용을 비교하며 씁니다.

3 **1**과 **2**의 내용을 바탕으로 하여 기찬이의 입장에서 자신의 삶이 뉴턴의 삶과 어떻게 다른지 써 보고, 뉴턴에게 어떤 점을 본받고 싶은지도 씁니다.

> 채점 기준
>
> 자신의 삶이 뉴턴의 삶과 다른 점, 뉴턴에게 본받을 점이 모두 잘 드러나게 썼으면 정답으로 합니다.

1 발견

2

뉴	턴	은	∨	'	사	는	는	∨	지	구
가	∨	잡	아	당	겨	∨	떨	어	지	는데	∨
왜	∨	달	은	∨	지	구	로	∨	떨	어	지
지	∨	않	는	∨	걸	까	?	'	라	는	∨
질	문	의	∨	답	을	∨	찾	아	내	었	다	.

1 만유인력을 찾아낸 것이므로 '발견'이라고 고쳐 써야 합니다. '만유인력'은 '질량을 가지고 있는 모든 물체가 서로 잡아당기는 힘.'이라는 뜻입니다.

2 '-라는'은 '-라고 하는'이 줄어든 말로 앞말과 붙여 써야 합니다. 그리고 물음표는 빈칸의 가운데 부분, 닫는 작은따옴표는 빈칸의 왼쪽 윗부분에 씁니다.

예	나	도	앞	으	로	불	의	에
끝	까	지	저	항	했	던	안	중	근
의	굳	은	의	지	와	용	기	를
본	받	아	야	겠	다	.

예	나	도	안	중	근	을	본	받	아	,
이	웃	을	생	각	하	고	더	나
아	가	나	라	를	사	랑	하	는
마	음	을	가	져	야	겠	다	고	다
짐	했	다	.

○ 안중근이 한 일과 안중근의 가치관을 살펴보며 안중근에게 본받을 점을 생각해 봅니다.

> 채점 기준

구분	답안 내용	
평가 기준	보기 중 한 가지를 골라 맞춤법과 띄어쓰기에 맞게 썼습니다.	상
	보기 중 한 가지를 골라 썼지만 맞춤법이나 띄어쓰기가 틀린 부분이 있습니다.	중
	안중근에게 본받을 점과 관련 없는 내용을 썼습니다.	하

5일

79쪽 **하루 글쓰기** 미리 보기

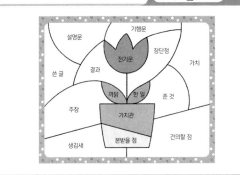

80~81쪽 **하루 글쓰기**

1 책 표지에 나비 가 많이 그려져 있는 까닭이 궁금해서 석주명의 전기문을 읽게 되었다.

2 ❶ 한 일: 조선의 나비 연구에만 몰입해 일본 학자들이 만든 곤충 도감에서 잘못된 부분을 바로잡았고, 세계적인 나비 학자가 되었다.

❷ 가치관: 나라를 사랑하고, 목표를 이루기 위해 한 가지 일에 몰입하는 것을 중요하게 생각했다.

3 예 나는 나비 연구로 나라 사랑의 길을 몸소 실천한 석주명을 본받고 싶다. / 예 나도 한 가지 일에 몰입하여 자신의 분야에서 최고가 된 석주명을 본받아야겠다.

1 현서는 책의 표지에 나비가 많이 그려져 있는 까닭이 궁금하여 석주명의 전기문을 읽게 되었습니다.

2 석주명은 조선의 나비를 연구하는 데 몰입해 일본 학자들이 만든 곤충 도감에서 잘못된 부분을 바로잡았습니다. 이로 보아, 석주명은 나라를 사랑하고 목표를 위해 한 가지 일에 몰입하는 것을 중요하게 생각했다는 것을 알 수 있습니다.

3 석주명에게 본받고 싶은 점으로 마음에 드는 내용을 보기 에서 한 가지 골라 씁니다.

채점 기준

보기 의 문장 중 한 가지를 골라 알맞게 썼으면 정답으로 합니다.

82쪽 **하루 글쓰기** 고쳐쓰기

1 손가락질

2

그	렇	게	∨	피	땀	∨	흘	려	∨	노
력	한	∨	끝	에	∨	석	주	명	은	∨	국
제	적	으	로	∨	인	정	받	는	∨	나	비	∨
학	자	가	∨	되	었	어	요	.		

1 '손가락'이라는 낱말에 '-질'을 합하면 '얕보거나 흉보는 짓.'을 뜻하는 '손가락질'이 만들어집니다.

『 더 알아보기 』

'-질'과 '-투성이'가 합해져 만들어진 낱말 예

| -질 | 곁눈질, 주먹질, 뒷걸음질 |
| -투성이 | 흙투성이, 상처투성이, 오류투성이 |

2 각각 '피땀 흘려', '인정받는'으로 띄어쓰기를 고쳐 써야 합니다. '피땀'은 '무엇을 이루기 위하여 애쓰는 노력과 정성을 비유적으로 이르는 말.'로, 한 낱말입니다.

83쪽 **하루 글쓰기** 마무리

예

책 제목	『파브르』
책을 읽게 된 까닭	파브르가 '곤충의 아버지'라고 불린다는 선생님의 말씀을 듣고 호기심이 생겨 『파브르』를 읽게 되었다.
책 내용	• 인물이 한 일 　교사였던 파브르는 학교가 쉬는 날이면 곤충을 관찰하며 연구했고, 곤충의 생태와 습성 등을 상세하게 기록한 『곤충기』를 남겼다. • 인물의 가치관 　파브르는 자신이 추구하는 것을 위해 열정적으로 노력하는 것을 중요하게 생각하였다.
생각이나 느낌	• 인물에게 본받을 점 　나도 자신이 좋아하는 일을 찾고 발전시켜 나가 그 분야에서 최고의 전문가가 된 파브르를 본받을 수 있도록 노력해야겠다.

● 자신이 읽은 전기문을 떠올려 보거나 제시된 인물들이 한 일을 참고하여 한 편의 독서 감상문을 써 봅니다.

채점 기준

구분	답안 내용	
평가 기준	책 제목, 책을 읽게 된 까닭, 책 내용, 생각이나 느낌을 모두 넣어 독서 감상문을 알맞게 썼습니다.	상
	독서 감상문에 들어갈 내용을 모두 넣어 썼지만 맞춤법이나 띄어쓰기가 틀린 부분이 있습니다.	중
	책 제목, 책을 읽게 된 까닭만 간단하게 썼습니다.	하

특강   똑똑한 **하루** 창의·융합·코딩

85쪽

"호 랑 이 도 제 말 하 면 온 다"더니 현수 이야기를 꺼내자마자 현수가 나타났다.

86쪽

● '어떤 곳의 지형이나 길 따위의 모양.'이라는 뜻의 낱말은 '지리', '깊이 파고들거나 빠짐.'이라는 뜻의 낱말은 '몰입', '그림이나 사진을 모아 실물 대신 볼 수 있도록 엮은 책.'이라는 뜻의 낱말은 '도감'입니다.

{ 왜 틀렸을까? }
· **학자**: 학문에 능통한 사람. 또는 학문을 연구하는 사람.
· **형편**: 살림살이의 상태나 처지.
· **전집**: 한 사람 또는 같은 시대나 같은 종류의 책을 한데 모아 출판한 책.

87쪽

 (1) ○

● 솥단지처럼 오목한 모양이고 그림자의 위치, 길이 변화로 시각과 대략적인 날짜를 알 수 있는 장영실의 발명품은 '앙부일구'입니다.

{ 왜 틀렸을까? }
(2) **자격루**: 큰 항아리에서 원통형 항아리로 물이 흘러들어가 그 안에 있는 막대를 일정 높이까지 떠오르게 하면 장치가 작동되어 스스로 소리를 나게 해서 시간을 알리도록 만든 물시계입니다.
(3) **혼천의**: 천체의 움직임과 그 위치를 측정하는 기구입니다.

88쪽

 (1) 김 만 덕 을 본받아 어려운 처지에 있는 이웃을 도울 거예요.
(2) 내가 하는 일에 시련과 고난이 찾아와도 포기하지 않고 베 토 벤 처럼 끝까지 노력할 거예요.

● (1)의 아이는 자신이 가진 것을 나누고 베푸는 김만덕을 본받아 불우 이웃 돕기를 실천하고 있습니다. (2)의 아이는 귓병을 앓는 시련과 고난을 겪으면서도 절대 포기하지 않고 더 노력한 베토벤을 본받아 끝까지 산을 올라가고 있습니다.

89쪽

❶ ↓ 1 칸 ❷ → 2 칸 ❸ ↓ 2 칸 ❹ → 1 칸

◎ 석주명 선생님께서 나비를 모두 채집하려면 다음과 같이 이동해야 합니다.

평가　　　　　　누구나 100점 테스트

90~91쪽

1 전기문	2 (1) ○
3 (2) ○	

4

자	세	하	고	∨	정	확
하	며	∨	휴	대	하	기	∨
편	한	∨	대	동	여	지	도
를	∨	만	들	었	다	.

5 귓병	6 달래
7 (3) ×	8 나라, 사랑하는
9 아랑곳하지 않고	10 재훈

1 위인의 삶을 사실대로 기록한 글은 전기문입니다.

2 (1)에 방정환 전기문을 읽게 된 까닭이 드러납니다.

┌ **왜 틀렸을까?** ┐
(2): 방정환이 어린이날을 만든 까닭에 대한 내용입니다.
└────────────┘

3 당시 조선 시대에는 군, 현만 나타내는 지도만큼이나 자세하게 그려진 전국 지도가 없었습니다.

4 김정호는 지리 정보가 자세하고 정확하게 표시되어 있고, 휴대가 간편한 대동여지도를 만들었습니다.

5 '귀'와 '병'을 합해 쓸 때에는 사이에 'ㅅ' 받침을 넣어 써야 합니다. '귓병'은 '귀를 앓는 병을 통틀어 이르는 말.'을 뜻합니다.

6 귓병을 앓으면서도 더 열심히 작곡에 매달린 베토벤의 가치관을 알맞게 말한 친구는 달래입니다.

7 안중근은 동포들에게 민족의식을 가르치고 일본군에 직접 맞서 싸웠습니다. 또, 우리나라를 빼앗는 일에 누구보다도 앞장섰던 이토 히로부미의 가슴에 총을 쏘며 대한 독립 만세를 외치기도 했습니다.

8 글 ㈏에 안중근에게 본받을 점이 잘 나타나 있습니다. 글쓴이는 이웃을 생각하고, 더 나아가 나라를 사랑하는 안중근의 마음을 본받고 싶어 합니다.

9 '아랑곳'은 '일에 나서서 참견하거나 관심을 두는 일.'이라는 뜻입니다. 석주명이 사람들의 손가락질에도 신경을 쓰지 않았다는 내용이 되어야 하므로 '아랑곳하지 않고'가 알맞습니다.

10 전기문을 읽고 독서 감상문을 쓸 때에는 전기문을 읽게 된 까닭, 인물이 한 일, 인물의 가치관, 인물에게 본받을 점 등의 내용이 자연스럽게 이어지도록 쓰는 것이 알맞습니다.

한 주 동안 수고했어요~!

94~95쪽 · 3주에는 무엇을 공부할까? ❷

1-1 (3) ×	1-2 스 마 트 폰
2-1 달래	2-2 과 장 , 허 위

1-1~1-2 스마트폰 사용을 줄이자는 내용의 공익 광고 문을 쓸 때에는 스마트폰의 과도한 사용으로 인해 생기는 문제점과 스마트폰 사용을 줄이자는 주장 이 잘 드러나게 광고문을 씁니다. 이때, 스마트폰 을 다른 대상에 빗대어 표현해 볼 수도 있습니다.

2-1 자전거를 팔기 위한 상품 광고문을 쓸 때에는 자 전거의 우수한 특징이 사실대로 잘 드러나게 써야 합니다.

2-2 자전거를 팔기 위한 상품 광고문을 쓸 때에는, 자 전거의 특징을 실제보다 부풀려 과장하거나 없는 기능을 있는 것처럼 허위로 설명하면 안 됩니다.

1일

97쪽 · 똑똑한 하루 글쓰기 미리 보기

 - 공 익 광 고

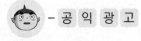 - 문 제 상 황 , 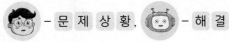 - 해 결

98~99쪽 · 똑똑한 하루 글쓰기

1 에너지 낭 비 , 온 실 가 스 배출의 주범입니다.

2 (1) 사용하지 않는 전자 제품의 플 러 그 는 뽑 아 주세요.

(2) 실내 온도는 적 당 히 유 지 해 주 세 요 .

3
에너지를 아끼면 지구가 웃습니다

❶ 예 에너지 낭비, 온실가스 배출의 주범입니다.
❷ 예 사용하지 않는 전자 제품의 플러그는 뽑아 주세요.
❸ 예 실내 온도는 적당히 유지해 주세요.

작은 실천이, 지구를 웃게 합니다.

1 에너지를 낭비하면 온실가스 배출이 늘어나는 문제 상황이 발생합니다.

2 에너지가 낭비되는 문제 상황을 해결할 수 있는 방 법 두 가지를 정리해 씁니다.

3 1과 2에서 쓴 문장을 넣어 에너지를 아끼자는 내용 의 공익 광고문을 완성해 씁니다.

채점 기준

문제 상황과 해결 방법이 모두 잘 드러나게 썼으면 정 답으로 합니다.

100쪽 · 똑똑한 하루 글쓰기 고쳐쓰기

1 (1) 배 출 량 (2) 구 름 양

2 날 이 ∨ 추 워 지 면 ∨ 두 꺼 운 ∨ 옷 을 ∨ 입 는 다 .

1 (1) 한자어 '배출' 뒤에서는 '량'을 사용해야 합니다.
(2) 고유어 '구름' 뒤에서는 '양'을 사용해야 합니다.

{ 더 알아보기 }
• **고유어**: 우리말에 본디부터 있던 말이나 그것에 기초하 여 새로 만들어진 말.
• **한자어**: 한자를 바탕으로 만들어진 말.
• **외래어**: 다른 나라 말을 빌려 와서 우리말처럼 쓰는 말.

2 '춥다'와 '-어지다'가 합쳐지면 'ㅂ'이 없어지고 '추 워지다'가 되므로 '대기의 온도가 낮아지면.'을 뜻하 는 낱말은 '추워지면'입니다.

101쪽 · 똑똑한 하루 글쓰기 마무리

예		쓰	지	않	는		불	을		끄	면
환	경	이		살	아	납	니	다	.		

예		쓰	지	않	는		불	을		끄	는
작	은		실	천	이		환	경		보	호
의		첫	걸	음	이		됩	니	다	.	

◉ 전기 에너지가 낭비되면 이산화 탄소가 많이 배출되 어 환경 오염의 원인이 됩니다. 이러한 문제 상황을

해결하기 위해 쓰지 않는 불을 끄자는 해결 방법을 빈칸에 알맞게 써 봅니다.

채점 기준

구분	답안 내용	
평가 기준	보기 중 한 가지를 골라 맞춤법과 띄어쓰기에 맞게 잘 썼습니다.	상
	보기 중 한 가지를 골라 썼지만 맞춤법과 띄어쓰기가 틀린 부분이 있습니다.	중
	문제 상황과 관련 없는 내용을 썼습니다.	하

2일

103쪽 똑똑한 하루 글쓰기 미리 보기

❶ 설 득
❷ 주 장
❸ 반 복

104~105쪽 똑똑한 하루 글쓰기

1 책을 읽으면 현재의 삶이 보 입 니 다 .
2 독서, 우리의 과 거 와 현 재 , 미 래 를 보 는 창 입니다.

3

읽으면 보입니다

책을 읽으면 과거의 지혜가 보입니다.
❶ 예 책을 읽으면 현재의 삶이 보입니다.
책을 읽으면 미래의 청사진이 보입니다.
읽으면, 볼 수 있습니다.
❷ 예 독서, 우리의 과거와 현재, 미래를 보는 창입니다.

1 독서를 하면 좋은 까닭을 광고문에 반복되어 사용된 표현에 주의하며 완성해 써 봅니다.

2 광고의 그림과 어울리도록 독서를 하면 좋은 까닭을 정리해 써 봅니다.

---

3 1과 2에서 쓴 문장을 이용해 독서를 하자는 내용의 공익 광고문을 완성해 씁니다.

채점 기준

독서를 하면 좋은 까닭이 드러나게 광고문을 썼으면 정답으로 합니다.

106쪽 똑똑한 하루 글쓰기 고쳐쓰기

1 (1) 일 어 (2) 읽 으 면
2
책	을	V	읽	으	면	V	현	재	의	V
삶	이	V	보	입	니	다	.			

1 (1) '없던 현상이 생겨.'를 뜻하는 낱말은 '일어'입니다.
  (2) '글을 보고 거기에 담긴 뜻을 헤아려 알면.'을 뜻하는 낱말은 '읽으면'입니다.

2 '글이나 그림 등을 인쇄하여 묶어 놓은 것.'을 뜻하는 낱말 '책'에 '을'을 더한 '책을'을 소리 나는 대로 '채글'이라고 쓰거나, '사는 일. 또는 살아 있음.'을 뜻하는 낱말 '삶'에 '이'를 더한 '삶이'를 소리 나는 대로 '살미'라고 쓰지 않도록 주의합니다.

107쪽 똑똑한 하루 글쓰기 마무리

예	몇	백	년	전	세	계	로	
건	너	갈		수	도		있	고	,

예	말	하	는		동	물	이		사	는
세	상	으	로		건	너	갈		수	도
있	고	,								

◉ 반복되는 표현인 '건너갈 수도'에 주의하며 독서를 하자는 내용의 공익 광고문을 완성해 봅니다.

채점 기준

구분	답안 내용	
평가 기준	보기 중 한 가지를 골라 맞춤법과 띄어쓰기에 맞게 잘 썼습니다.	상
	보기 중 한 가지를 골라 썼지만 맞춤법과 띄어쓰기가 틀린 부분이 있습니다.	중
	광고문과 관련 없는 내용을 썼습니다.	하

3일

109쪽 똑똑한 **하루 글쓰기** 미리 보기

 - 문 제 점 ,

 - 주 장 , 🤖 - 빗 대 어

110~111쪽 똑똑한 **하루 글쓰기**

1 늘 사용하는 스마트폰, 안 대 처럼 당신의 눈을 가리고 있지는 않나요?

2 이제 스마트폰 안 대 를 벗 고 주 변 을 볼 때 입니다.

3

> **스마트폰 안대, 이제는 벗어 주세요**
>
> ❶ 예 늘 사용하는 스마트폰, 안대처럼 당신의 눈을 가리고 있지는 않나요?
> 스마트폰을 볼 때, 우리는 머리 위 하늘의 푸르름을 놓칩니다.
> 스마트폰을 볼 때, 우리는 옆에 있는 친구의 미소를 놓칩니다.
> 스마트폰을 볼 때, 우리는 발밑에서 흔들리는 꽃의 아름다움을 놓칩니다.
> 진짜는 스마트폰 밖에 있습니다.
> ❷ 예 이제 스마트폰 안대를 벗고 주변을 볼 때입니다.

1 스마트폰을 안대에 빗대어 스마트폰의 과도한 사용으로 인한 문제점을 표현해 봅니다.

2 스마트폰 사용을 줄이자는 주장이 드러나도록 문장을 써 봅니다.

3 1과 2에서 쓴 문장을 이용해 스마트폰 사용을 줄이자는 내용의 공익 광고문을 완성해 봅니다.

채점 기준

스마트폰을 '안대'에 빗대어 스마트폰의 과도한 사용으로 인한 문제점과 스마트폰 사용을 줄이자는 주장이 잘 드러나게 광고문을 썼으면 정답으로 합니다.

112쪽 똑똑한 **하루 글쓰기** 고쳐쓰기

1 예 　항상　 사용하는 스마트폰
　 예 　언제나　 사용하는 스마트폰

2

	스	마	트	폰	을	∨	볼	∨	때	,		우
리	는	∨	발	밑	에	서	∨	흔	들	리	는	∨
꽃	의	∨	아	름	다	움	을	∨	놓	칩	니	
다	.											

1 '계속하여 언제나.'를 뜻하는 '늘'과 바꾸어 쓸 수 있는 낱말은 '항상' 또는 '언제나' 등이 있습니다.

2 '일정한 일이나 현상이 일어나는 시간.'을 뜻하는 '때'는 다른 낱말 뒤에서 띄어 쓰고, '발바닥이 향하거나 닿는 자리. 또는 그 자리의 언저리.'를 뜻하는 '발밑'은 한 낱말이므로 붙여 씁니다.

113쪽 똑똑한 **하루 글쓰기** 마무리

> ❶ 예 스마트폰, 당신을 가두는 감옥일 수 있습니다
> 편리한 생활을 위해 사용하는 스마트폰.
> ❷ 예 그런데 혹시 지금,
> 스마트폰 감옥에 갇혀 있지는 않나요?
> 화면 속에 갇혀 스마트폰 바깥 세상을 보지 못하고 있다면
> 지금 고개를 들어 스마트폰 감옥에서 빠져나오세요.

🔘 스마트폰을 '감옥'에 빗대어 공익 광고의 제목과 스마트폰의 과도한 사용으로 인한 문제점 부분을 완성해 봅니다.

채점 기준

구분	답안 내용	
평가 기준	스마트폰을 '감옥'에 빗대어 공익 광고의 제목과 문제점 부분을 잘 썼습니다.	상
	스마트폰을 '감옥'에 빗대어 공익 광고의 제목과 문제점 부분을 썼지만 맞춤법과 띄어쓰기가 틀린 부분이 있습니다.	중
	스마트폰을 '감옥'에 빗대어 쓰지 못하였습니다.	하

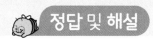

4일

115쪽 〔똑똑한〕 **하루 글쓰기** 미리 보기

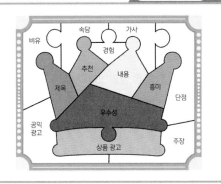

116~117쪽 〔똑똑한〕 **하루 글쓰기**

1 죽어서 동상이 된 행복한 왕자는 그제야 세상의 가난과 슬픔을 알게 되어 |눈| |물|을 흘립니다.

2 |나| |눔| |의| |행| |복| |이| |무| |엇| |인| |지| |알| |고| |싶| |은| 분들께 추천합니다.

3

『행복한 왕자』

❶ 〔예〕 죽어서 동상이 된 행복한 왕자는 그제야 세상의 가난과 슬픔을 알게 되어 눈물을 흘립니다. 자신의 것을 기꺼이 내주는 / 왕자의 고귀한 마음!

❷ 〔예〕 나눔의 행복이 무엇인지 알고 싶은 분들께 추천합니다. 지금 구매하세요.

1 책 『행복한 왕자』의 내용을 그림에 맞게 간단히 정리해 봅니다.

〔 더 알아보기 〕

『행복한 왕자』의 내용 자세히 알아보기

　죽어서 동상이 되어 높은 곳에 세워진 행복한 왕자는 불행한 마을의 모습을 보고 슬퍼합니다. 왕자는 제비에게 부탁해 자신이 가진 칼자루의 루비, 눈에 박힌 사파이어, 몸을 덮은 황금을 모두 떼어 가난한 사람들에게 나눠 줍니다. 왕자를 돕다가 남쪽으로 가지 못한 제비는 추워진 날씨에 죽음을 맞고, 모든 것을 떼어 주고 흉측해진 왕자를 사람들은 용광로에 태워 버립니다. 하지만 왕자의 심장만은 불타지 않습니다. 어느 날 신이 천사에게 도시에서 가장 아름다운 것 두 개를 찾아 오라고 하는데, 그것은 바로 왕자의 심장과 제비였습니다.

2 책 『행복한 왕자』를 사라고 추천하는 까닭이 드러나게 광고문을 써 봅니다.

3 **1**과 **2**에서 쓴 문장을 넣어 책을 팔기 위한 상품 광고문을 완성해 봅니다.

　채점 기준

　책 『행복한 왕자』의 내용과 책을 사라고 추천하는 까닭이 잘 드러나게 썼으면 정답으로 합니다.

118쪽 〔똑똑한〕 **하루 글쓰기** 고쳐쓰기

1 지금 |구| |입| 하세요.

2 |　|자| |신| |의| |∨| |것| |을| |∨| |기| |꺼| |이| |∨| | |내| |주| |는| |∨| |왕| |자| |의| |∨| |고| |귀| |한| |∨| | |마| |음| |!| | | | | | | | | | | |

1 '물건 따위를 사들임.'을 뜻하는 '구매'와 뜻이 같은 낱말은 '구입'입니다.

2 '마음속으로 은근히 기쁘게.'를 뜻하는 낱말의 바른 표기는 '기꺼이'이고, '가지고 있던 것을 남에게 넘겨 주는.'을 뜻하는 낱말은 '내주는'으로 붙여 씁니다.

119쪽 〔똑똑한〕 **하루 글쓰기** 마무리

❶ 〔예〕 빵 한 덩어리를 들고 도망을 간 죄로
❷ 〔예〕 5년의 징역이 선고된 장 발장!
150년 간 사람들을 웃고 울린 명작!
오랜 시간이 지나도 꺼지지 않는 인기의 이유가 궁금하다면 / 지금 구매하세요.

◉ 밑줄 그은 부분에 맞게 책의 내용을 정리해 씁니다.

　채점 기준

구분	답안 내용	
평가 기준	밑줄 그은 부분에 맞게 책 『장 발장』의 내용을 잘 정리해 썼습니다.	상
	밑줄 그은 부분에 맞게 책 『장 발장』의 내용을 정리해 썼지만 맞춤법과 띄어쓰기가 틀린 부분이 있습니다.	중
	밑줄 그은 부분과 다른 내용을 썼습니다.	하

5일

121쪽 똑똑한 하루 글쓰기 미리 보기

❶ 특 징
❷ 과 장
❸ 허 위

특	들	비	우
징	가	사	과
이	파	간	장
어	허	위	조

122~123쪽 똑똑한 하루 글쓰기

1 더 다 양 합 니 다 !
2 무려 열 가 지 색 상 으 로 출 시 되 어 선택의 폭이 넓습니다.

3

더	V	다	양	합	니	다	!	
무	려	V	열	V	가	지	V	색	상	으
로	V	출	시	되	어	V	선	택	의	V	폭
이	V	넓	습	니	다	.	

1 씽씽 자전거를 만든 회사 직원의 말을 읽고, 씽씽 자전거의 특징을 써 봅니다.

2 1에서 설명한 씽씽 자전거의 특징을 자세히 설명해 써 봅니다.

3 1과 2에서 쓴 문장을 넣어 씽씽 자전거를 팔기 위한 상품 광고에 추가될 내용을 써 봅니다.

채점 기준

씽씽 자전거의 특징이 사실대로 잘 드러나게 추가될 내용을 썼으면 정답으로 합니다.

124쪽 똑똑한 하루 글쓰기 고쳐쓰기

1 무 려 열 가지 색상으로 출시되어 선택의 폭이 넓습니다.

2

	이	전	에	V	판	매	된	V	제	품	보
다	V	싼	V	가	격	에	V	판	매	합	니
다	.	

1 선택의 폭이 넓다고 하였으므로 함께 쓰기에 알맞은 낱말은 '그 수가 예상보다 상당히 많음.'을 뜻하는 '무려'입니다.

〔 왜 틀렸을까? 〕

'고작'은 친구가 쓴 문장의 '겨우'와 뜻이 비슷한 낱말입니다. '겨우'와 '고작'은 선택의 폭이 넓다는 설명과 함께 쓰기에 적절하지 않은 낱말입니다.

2 '판매되다'와 '판매하다'는 각각 '상품 따위가 팔리다.', '상품 따위를 팔다.'라는 뜻을 가진 낱말로, 붙여 써야 합니다.

125쪽 똑똑한 하루 글쓰기 마무리

예

함께 자전거를 사세요!

붉은색 몸체와 황금색 핸들로 눈에 띄는 디자인!

어린이부터 어른들까지 탈 수 있도록
안장 높이 조절 가능!
보조 바퀴 탈부착 가능!

가족이 함께 탈 수 있는 함께 자전거
지금 구매하세요!

◉ 광고의 그림을 보고, 자전거의 제품명과 특징이 잘 드러나게 광고문을 완성해 봅니다.

채점 기준

구분	답안 내용	
평가 기준	자전거의 제품명과 우수한 특징이 사실대로 잘 드러나게 광고문을 완성해 썼습니다.	상
	자전거의 제품명과 우수한 특징이 사실대로 드러나게 광고문을 완성해 썼지만, 맞춤법과 띄어쓰기가 틀린 부분이 있습니다.	중
	과장하거나 허위로 쓴 부분이 있습니다.	하

특강 똑똑한 하루 창의·융합·코딩

127쪽

"서 당 개 삼 년 에 풍 월 을 읊 는 다"
더니 내가 피아노 치는 것을 오랫동안 지켜본 동생이 피아노로 간단한 곡을 치기 시작했다.

128쪽

◎ '미래에 대한 희망적인 계획이나 구상.'이라는 뜻의 낱말은 '청사진', '눈병이 났을 때 아픈 눈을 가리는 거즈 따위의 천 조각.'이라는 뜻의 낱말은 '안대', '물건 따위를 사들임.'이라는 뜻의 낱말은 '구매'입니다.

─【 왜 틀렸을까? 】─

• **청포도**: 아직 다 익지 아니한 푸른 포도. 또는 껍질이 얇고 맛이 달며 열매가 푸르스름한 포도의 한 종류.

• **안구**: 눈의 구멍 안에 있는 동그란 모양의 기관.

• **소매**: 물건을 생산자나 도매상에게서 사들여 직접 소비자에게 팖.

129쪽

◎ 스마트폰 사용 실태를 생각하며 다른 부분 다섯 군데를 모두 찾아 ○표를 해 봅니다.

130쪽

40,500

◎ 『어린 왕자』, 『김만덕』, 『행복한 왕자』의 가격을 모두 더하면 '13,000+12,500+15,000=40,500'입니다. 빈칸에 알맞은 금액을 숫자로 써 봅니다.

131쪽

(2) ○

◎ 진아가 할머니 댁까지 이동하려면 '위쪽으로 1칸, 왼쪽으로 1칸 이동하기'를 세 번 반복해야 합니다. 완성된 코딩 명령에 따라 이동하면 다음과 같습니다.

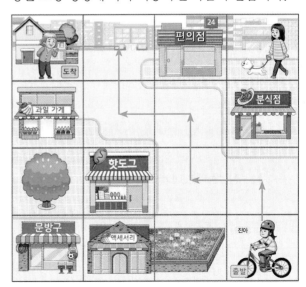

132~133쪽

1 공익 광고   2 밤톨

3 ☐독☐서를 하자.

4 ☐징☐검☐다☐리   5 (2) ×

6

세	상	의	∨	가	난	과	∨
슬	픔	을	∨	알	게	∨	된	∨
행	복	한	∨	왕	자	는	∨
눈	물	을	∨	흘	립	니	다	.

7 달래   8 (1) ② (2) ①

9 씽씽 자전거   10 ☐저☐렴☐합☐니☐다

1 국가나 사회 전체의 이익을 목적으로 만든 광고는 공익 광고입니다.

> (왜 틀렸을까?)
>
> 상품 광고는 소비자에게 제품의 우수성을 알려서, 그 제품을 사라고 설득해 제품을 더 많이 팔기 위해 만든 광고입니다.

2 에너지를 아끼자는 내용의 공익 광고문에는 에너지가 낭비되고 있는 문제 상황과 이러한 문제 상황을 해결할 수 있는 방법을 써야 합니다.

> (왜 틀렸을까?)
>
> 기찬이는 스마트폰의 과도한 사용을 줄이자는 내용의 공익 광고문에 쓸 내용을 이야기하였습니다.

3 독서를 하면 좋은 까닭과 독서를 하자는 주장이 드러난 공익 광고문입니다.

4 독서를 더 넓은 세계로 건너가는 '징검다리'에 빗대어 표현하였습니다.

> (더 알아보기)
>
> 이 광고문에서는 '책'을 우리에게 더 넓은 세상을 보여 주는 '징검돌'에 빗대어 표현하였습니다.

5 우리는 스마트폰을 볼 때 머리 위 하늘의 푸르름, 옆에 있는 친구의 미소, 발밑에서 흔들리는 꽃의 아름다움을 놓친다고 하였습니다. 스마트폰 속 영상 자료는 우리가 스마트폰을 볼 때 놓치는 것으로 알맞지 않습니다.

6 그림에서 행복한 왕자가 눈물을 흘리고 있습니다. 낱말 '눈물'을 넣어 책 『행복한 왕자』의 내용을 완성하고 따라 써 봅니다.

7 책을 추천하는 까닭을 알맞게 말한 친구는 달래입니다. 판판은 책을 사야 하는 까닭에 대해 알맞게 말하지 못했습니다.

8 상품 기능을 실제보다 부풀린 광고는 과장 광고, 있지도 않은 상품 기능을 있는 것처럼 설명하는 광고는 허위 광고입니다. 광고문을 쓸 때에는 과장된 표현이나 허위로 쓴 표현을 사용하면 안 됩니다.

9 이 글은 '씽씽 자전거'를 팔기 위한 상품 광고입니다.

10 ㉠의 뒤에 나오는 내용으로 보아, ㉠에 들어갈 알맞은 낱말은 '저렴합니다'입니다.

> (더 알아보기)
>
> '저렴하다'는 '물건 따위의 값이 싸다.'라는 뜻으로, '싸다'와 바꾸어 쓸 수 있습니다.

한 주 동안 수고했어요~!

136~137쪽 4주에는 무엇을 공부할까? ❷

1-1 감상문	**1-2** 자유롭게
2-1 (2) ×	**2-2** 달래

1-1~1-2 감상문은 시, 이야기, 그림, 연극 등을 보거나 음식을 먹고 나서 떠오르는 생각이나 느낌을 자유롭게 표현한 글을 말합니다.

2-1~2-2 음식 감상문에는 음식의 재료나 색깔, 맛, 모양 등에 대한 느낌과 음식의 유래나 영양가 등이 들어갑니다.

1일

139쪽 똑똑한 하루 글쓰기 미리 보기

❶ 감상문
❷ 장면
❸ 경험

140~141쪽 똑똑한 하루 글쓰기

1 (1) 짧은 시 속에 슬프고 기운이 없는 시 속 인물의 [마][음]이 잘 표현되어 있었다.

(2) 문득 지난달에 [전][학]을 간 단짝 친구가 생각나서 나도 눈물이 나려고 했다.

2 ❶ 짧은 시 속에 [슬][프][고] [기][운][이] [없][는] 시 속 인물의 마음이 잘 표현되어 있었다.

❷ 문득 지난달에 [전][학][을] [간] [단][짝] [친][구][가] [생][각][나][서] 나도 눈물이 나려고 했다.

3

짧	은	∨	시	∨	속	에	∨	슬	프	고	∨
기	운	이	∨	없	는	∨	시	∨	속	∨	인
물	의	∨	마	음	이	∨	잘	∨	표	현	되
어	∨	있	었	다	.	문	득	∨	지	난	달
에	∨	전	학	을	∨	간	∨	단	짝	∨	친
구	가	∨	생	각	나	서	∨	나	도	∨	눈
물	이	∨	나	려	고	∨	했	다	.		

1 기찬이는 「친구 생각」이라는 시를 읽으니 짝꿍이 전학을 가서 슬픈 인물의 마음이 느껴진다고 하였습니다.

2 **1**의 내용을 바탕으로 시를 읽고 느낀 점을 두 문장으로 씁니다.

3 **2**에서 쓴 문장을 넣어 시 감상문을 완성해 봅니다.

> **채점 기준**
>
> 시 「친구 생각」을 읽고 떠오르는 생각이나 느낌을 잘 썼으면 정답입니다.

142쪽 똑똑한 하루 글쓰기 고쳐쓰기

1 [짝][꿍]

2

텅	∨	빈	∨	운	동	장	으	로		
힘	∨	빠	진	∨	공	을	∨	차	∨	본
다	.									

1 '짝궁'은 '짝꿍'을 잘못 쓴 낱말로, 바르게 고쳐 써 봅니다.

2 '텅빈'은 '텅∨빈'으로, '힘빠진'은 '힘∨빠진'으로 띄어쓰기를 고쳐 써야 합니다.

143쪽 똑똑한 하루 글쓰기 마무리

낮에 동생에게 책을 읽어 주다가 「봄」이라는 시를 읽게 되었다. / 햇볕이 따뜻한 봄날의 한낮에 ❶ 예 아기와 고양이가 낮잠을 자고 나뭇가지가 바람에 흔들리는 장면 등이 떠오르는 시였다. / 흉내 내는 말 ❷ 예 코올코올, 가릉가릉, 소올소올, 째앵째앵'의 느낌을 살려 낭송하니 노래를 부르는 것처럼 신났다. / 이 시는 전체적으로 평화로운 느낌을 주어서 읽고 나니 내 마음도 편안해졌다.

◎ 시 「봄」을 읽고 느낀 점, 떠오르는 장면, 시의 분위기 등을 내용에 맞게 써 봅니다.

채점 기준

구분	답안 내용	
평가 기준	❶에는 떠오르는 장면을, ❷에는 흉내 내는 말을 보기 에서 골라 모두 알맞게 썼습니다.	상
	❶과 ❷에 들어갈 내용을 모두 썼으나 맞춤법이 틀린 부분이 있습니다.	중
	❶과 ❷ 중 한 가지만 알맞게 썼습니다.	하

2일

145쪽 　똑똑한 **하루 글쓰기** 미리 보기

- 제목 ,　- 줄거리 ,

- 느낌

146~147쪽 　똑똑한 **하루 글쓰기**

1 이 이야기는 작은 연못에서 사이좋게 지내던 두 붕어, 하양이와 노랑이가 먹이 때문에 욕심을 부리며 싸우다가 둘 다 죽게 되었다는 내용이다.

2 욕심은 남도 해치지만 결국 자신도 해치게 된다는 것을 알게 되었다. 욕심을 부리지 말고 나누는 삶을 살아야겠다.

3 아빠께서 생일 선물로 주신 책 속에 이 「작은 연못」이라는 이야기가 있어서 읽게 되었다. / 이 이야기는 ❶ 예 작은 연못에서 사이좋게 지내던 두 붕어, 하양이와 노랑이가 먹이 때문에 욕심을 부리며 싸우다가 둘 다 죽게 되었다는 내용이다. / ❷ 예 욕심은 남도 해치지만 결국 자신도 해치게 된다는 것을 알게 되었다. 욕심을 부리지 말고 나누는 삶을 살아야겠다.

1 이야기 「작은 연못」은 작은 연못에서 사이좋게 지내던 붕어들이 먹이 때문에 욕심을 부리다가 둘 다 죽게 되었다는 내용입니다.

2 1에서 쓴 「작은 연못」의 줄거리를 바탕으로 생각이나 느낌을 정리해서 써 봅니다.

3 1과 2에서 쓴 내용을 넣어 감상문을 완성해 봅니다.

채점 기준

「작은 연못」 이야기의 내용과 생각이나 느낌을 넣어 이야기 감상문을 알맞게 썼으면 정답입니다.

148쪽 　똑똑한 **하루 글쓰기** 고쳐쓰기

1 예 죽은 하양이의 몸이 썩어 갔고, 연못의 물도 천천히 썩기 시작했어요.

2

마	침	내	∨	두	∨	붕	어	는	∨	싸
움	을	∨	시	작	했	고	,	노	랑	이	보
다	∨	몸	집	이	∨	작	았	던	∨	하	양
이	가	∨	죽	고	∨	말	았	어	요	.

1 '조금씩 느리게.'라는 뜻의 '서서히'는 '천천히'와 바꾸어 쓸 수 있습니다.

〔 더 알아보기 〕

'공연히'가 쓰이는 문장 예

• 나는 아무 이유 없이 공연히 짜증이 났다.

• 형은 나에게 공연히 겁을 주었다.

2 '몸찜이'는 '몸집이'로, '적었던'은 '작았던'으로 고쳐 써야 합니다.

149쪽 　똑똑한 **하루 글쓰기** 마무리

학교 도서관에서 책을 찾다가 「지혜로운 아들」이라는 이야기를 읽게 되었다. / 어느 겨울날, 사또가 이방을 불러 산딸기를 따 오라고 하자, 이방은 걱정을 하다가 병이 나서 자리에 눕고 말았다. 아버지의 이야기를 들은 이방 아들이 사또를 찾아가서 아버지가 산딸기를 따다가 독사한테 물렸다고 말했다. ❶ 예 그러자 사또가 겨울에 독사가 어디 있냐고 화를 냈고, 이방 아들 또한 겨울에는 산딸기도 없다고 말했다. 이방 아들의 공손하고 지혜로운 말을 들은 사또는 자신의 잘못을 뉘우쳤다. / 이 이야기를 읽고 사또처럼 억지를 부리지 말아야겠다고 다짐했고, ❷ 예 이방 아들처럼 지혜롭게 대처하는 모습을 배우고 싶었다.

◉ ❶에는 이야기의 줄거리를, ❷에는 생각이나 느낌을 넣어 감상문을 완성해 봅니다.

채점 기준

구분	답안 내용	
평가 기준	❶에는 줄거리를, ❷에는 생각이나 느낌을 모두 넣어 알맞게 썼습니다.	상
	❶과 ❷에 내용을 모두 넣어 썼지만 맞춤법에서 틀린 부분이 있습니다.	중
	❶과 ❷ 중 한 가지만 알맞게 썼습니다.	하

3일

151쪽 · 똑똑한 하루 글쓰기 미리 보기

❶ 제목
❷ 색깔
❸ 생각

152~153쪽 · 똑똑한 하루 글쓰기

1 ❶ 그림에 쓰인 색깔은 다양하지 않은데 아이들의 표정이나 모습이 생생하게 느껴졌다.

❷ 훈장님께 혼나서 우는 아이를 보니 예전에 숙제를 하지 않아서 선생님께 혼났던 경험이 떠올랐다.

2

그림 제목	「서당」	작가	김홍도
그림을 보게 된 까닭	여름 방학을 맞아 아빠와 함께 국립중앙박물관에 견학을 가서 보게 되었다.		
감상평	지금의 학교와 같은 서당의 모습을 재미있게 표현한 그림이었다. / ❶ 예 그림에 쓰인 색깔은 다양하지 않은데 아이들의 표정이나 모습이 생생하게 느껴졌다. 특히, 입을 가리고 키득키득 웃고 있는 아이의 모습이 인상적이었다. / 그리고 ❷ 예 훈장님께 혼나서 우는 아이를 보니 예전에 숙제를 하지 않아서 선생님께 혼났던 경험이 떠올랐다.		

1 「서당」그림을 보고 느낀 점을 보기 에서 알맞은 낱말을 골라 써 봅니다.

2 1에서 쓴 말을 넣어 그림 감상문을 완성해 봅니다.

채점 기준

「서당」그림을 보고 느낀 점을 알맞게 썼으면 정답입니다.

(더 알아보기)

· 김홍도: 조선 시대의 풍속화가입니다. 서민들의 생활을 재미있게 표현한 것으로 유명합니다. 대표작으로 「씨름」, 「무동」, 「서당」 등이 있습니다.

154쪽 · 똑똑한 하루 글쓰기 고쳐쓰기

1 예 지금의 학교와 같은 글방의 모습을 재미있게 표현했다.

예 지금의 학교와 같은 서재의 모습을 재미있게 표현했다.

2

입	을	∨	가	리	고	∨	키	득	키	득	∨
웃	고	∨	있	는	∨	아	이	의	∨	모	습
이	∨	꼭	∨	개	구	쟁	이	∨	같	아	.

1 '서당'을 '글방', '서재'와 바꾸어 써도 문장의 뜻이 변하지 않습니다.

2 '웃고있는'은 '웃고∨있는'으로 고쳐 써야 하고, '개구장이'는 '개구쟁이'로 고쳐 써야 합니다.

155쪽 · 똑똑한 하루 글쓰기 마무리

그림 제목	「초충도」 – 수박과 들쥐	작가	신사임당
감상평	「초충도」는 여덟 폭으로 이루어진 병풍 작품이라고 한다. 이 중에서 '수박과 들쥐'라는 그림을 보았다. / 그림에서 나비와 꽃, 수박 등에 붉은색과 초록색이 많이 쓰여 ❶ 예 산뜻한 느낌을 주었다. / 그리고 수박의 겉모습이 지금의 수박과 다른 것 같아 신기했다. / 그림에서 ❷ 예 쥐가 수박씨를 먹는 모습이 인상적이었고, 꽃과 풀과 나비가 어우러진 모습이 평화로워 보였다.		

○ 친구들의 대화를 보고 그림 감상문을 완성해 봅니다.

채점 기준

구분	답안 내용	
평가 기준	❶과 ❷에 내용을 넣어 알맞게 썼습니다.	상
	❶과 ❷에 내용을 모두 넣어 썼지만 맞춤법에서 틀린 부분이 있습니다.	중
	❶과 ❷ 중 한 가지만 알맞게 썼습니다.	하

4일

157쪽 | 똑똑한 **하루 글쓰기** 미리 보기

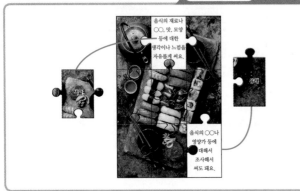

158~159쪽 | 똑똑한 **하루 글쓰기**

1 (1) 하얀 면, 잘 구워진 고기, 초록빛의 채소가 조화를 이루어 더 맛있게 보였다.

(2) 면과 고기와 채소를 국물에 적셔 먹어 보니 새콤하고 달콤하고 고소했다.

2 ❶ 하얀 면, 잘 구워진 고기, 초록빛의 채소가 조화를 이루어 더 맛있게 보였다.
❷ 면과 고기와 채소를 국물에 적셔 먹어 보니 새콤하고 달콤하고 고소했다.

3 친구 집에 놀러 가서 '분짜'라는 음식을 먹었다. 분짜는 삶은 쌀국수 면을 돼지고기 숯불구이, 채소 등과 함께 양념이 된 차가운 국물에 적셔 먹는 음식이다. / ❶ 예 하얀 면, 잘 구워진 고기, 초록빛의 채소가 조화를 이루어 더 맛있게 보였다. 그리고 ❷ 예 면과 고기와 채소를 국물에 적셔 먹어 보니 새콤하고 달콤하고 고소했다. / 이 분짜는 베트남 하노이 지방의 향토 음식이라고 하는데, 베트남의 다른 음식들도 먹어 보고 싶다.

1 분짜는 하얀 면, 잘 구워진 고기, 초록빛의 채소가 조화를 이루어 더 맛있게 보였고, 면과 고기와 채소를 국물에 적셔 먹어 보니 새콤하고 달콤하고 고소한 맛이 났다고 하였습니다.

2 1의 내용을 바탕으로 분짜에 대한 생각이나 느낌을 두 문장으로 씁니다.

3 2에서 쓴 내용을 넣어 음식 감상문을 완성해 봅니다.

채점 기준

'분짜'에 대한 음식 감상문을 잘 썼으면 정답입니다.

160쪽 | 똑똑한 **하루 글쓰기** 고쳐 쓰기

1 | 두 | 꺼 | 워 | 서 |

2 | | 분 | 짜 | 는 | ∨ | 시 | 큼 | 하 | 고 | ∨ | 달 | 짝 |
| 지 | 근 | 하 | 고 | ∨ | 고 | 소 | 한 | ∨ | 맛 | 이 | ∨ |
| 났 | 다 | . |

1 '두터워서'를 '두꺼워서'로 고쳐 써야 합니다.

2 '새콤하고'는 '시큼하고'와, '달콤하고'는 '달짝지근하고'와 뜻이 비슷해 서로 바꾸어 쓸 수 있습니다.

{ **더 알아보기** }

맛을 표현하는 말 예
• **단맛:** 달콤하다, 다디달다, 달짝지근하다
• **시다:** 새콤하다, 시큼하다, 새큼하다

161쪽 | 똑똑한 **하루 글쓰기** 마무리

멕시코의 대표적인 음식 중에 하나인 타코는 옥수숫가루 반죽을 살짝 구워 만든 토르티야라는 빵에 ❶ 예 채소나 고기, 해물 등을 싸서 먹는 음식이라고 한다. / 처음 음식이 나왔을 때 ❷ 예 알록달록하게 여러 재료가 섞여 있는 모습이 아주 먹음직스러워 보였다. 먹어 보니 달콤하고 고소한 소스 맛과 고기와 해물, 채소가 잘 어울려 맛있었다. 고기와 해물, 여러 가지 채소가 듬뿍 들어 있어서 영양가도 좋을 것 같았다. / 멕시코 음식은 처음 먹어 보았는데 내 입맛에 잘 맞았고, 다음에는 직접 멕시코에 가서 먹어 보고 싶다.

○ 친구들의 대화를 보고 음식 감상문을 완성해 봅니다.

채점 기준

구분	답안 내용	
평가 기준	❶에는 판판의 말을, ❷에는 달래의 말을 모두 넣어 알맞게 썼습니다.	상
	❶과 ❷에 내용을 모두 넣어 썼지만 맞춤법에서 틀린 부분이 있습니다.	중
	❶과 ❷ 중 한 가지만 알맞게 썼습니다.	하

5일

163쪽 똑똑한 하루 글쓰기 미리 보기

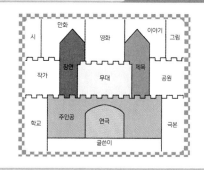

164~165쪽 똑똑한 하루 글쓰기

1 나그네가 호랑이를 궤짝에서 꺼내 주었는데, 호랑이가 나그네를 잡아먹으려고 덤비는 부분이었다.

2 호랑이 역을 맡은 친구가 "어흥!" 하고 나그네를 잡아먹으려고 할 때에는 등골이 오싹할 정도로 정말 무서웠다.

3 친구네 반 학예회에서 「토끼의 재판」이라는 연극을 보았다. 교과서에 실린 극본은 읽은 적이 있지만 이렇게 연극으로 본 것은 처음이었다. 무대가 옛날 숲속의 모습처럼 잘 꾸며져 있어서 집중해서 볼 수 있었다. / 가장 인상 깊었던 장면은 나그네가 호랑이를 궤짝에서 꺼내 주었는데, ❶ 예 호랑이가 나그네를 잡아먹으려고 덤비는 부분이었다. 호랑이와 나그네 역을 맡은 친구들이 연기를 정말 잘했다. 특히, ❷ 예 호랑이 역을 맡은 친구가 "어흥!" 하고 나그네를 잡아먹으려고 할 때에는 등골이 오싹할 정도로 정말 무서웠다. / 은혜를 모르는 호랑이가 얄미운 생각도 들었지만 토끼의 꾀에 넘어가서 다시 궤짝 속에 갇힌 모습을 보니 불쌍하기도 했다. 그리고 토끼의 지혜를 배워야겠다는 생각이 들었다.

1 그림에 나타난 가장 인상 깊었던 장면은 호랑이가 나그네를 잡아먹으려고 하는 장면입니다.

2 1에서 쓴 장면에 대해 느낀 점을 씁니다.

3 1과 2에서 쓴 내용을 넣어 연극 감상문을 완성해 봅니다.

채점 기준

「토끼의 재판」을 보고 느낀 점으로 연극 감상문을 잘 썼으면 정답입니다.

166쪽 똑똑한 하루 글쓰기 고쳐쓰기

1 드러내시는군요

2 조금 ∨ 전에 ∨ 궤짝에서 ∨ 꺼내 ∨ 주면 ∨ 은혜를 ∨ 갚겠다고 ∨ 약속을 ∨ 하셨잖아요.

1 '들어내시는군요'를 '드러내시는군요'로 고쳐 써야 합니다.

2 '괘짝'은 '궤짝'으로, '갑겠다고'는 '갚겠다고'로 고쳐 써야 합니다.

167쪽 똑똑한 하루 글쓰기 마무리

예		
	연극 제목	「의좋은 형제」
	등장인물	형, 아우, 이웃 사람
	줄거리	우애가 좋은 형제가 가을에 추수를 하고 각자의 논에 쌓아 놓은 볏단을 서로에게 몰래 나누어 주는 내용이다.
	느낀 점	두 형제가 서로 볏단을 옮겨 놓다가 마주치는 장면이 가장 인상 깊었다. 형과 아우가 서로를 생각하는 마음으로 몰래 볏단을 옮기다가 화들짝 놀라는 장면을 배우들이 실감 나게 연기해서 기억에 남는다. 형제가 서로를 생각하는 마음에 감동을 받았고, 나도 동생과 잘 지내야겠다고 마음먹었다.

● 연극 한 편을 떠올려서 연극 감상문을 써 봅니다.

채점 기준		
구분	답안 내용	
평가 기준	연극 제목, 등장인물, 줄거리, 느낀 점을 모두 써넣어 연극 감상문을 알맞게 완성했습니다.	상
	들어가는 내용을 모두 넣어 연극 감상문을 썼지만 맞춤법이 틀린 부분이 있습니다.	중
	들어가는 내용 중 두세 가지를 빠뜨리고 연 극 감상문을 썼습니다.	하

 왜 틀렸을까?
- **신발코**: 신의 앞쪽 끝의 뾰족한 곳. '신코'가 바른 표현이지만, 시의 느낌을 살리기 위하여 '신발코'라 함.
- **등나무**: 봄에 향기로운 연한 보랏빛 꽃이 송이를 이루어 피고 여름에 그늘이 짙은, 뜰에 심는 큰 덩굴나무.
- **본색**: 원래의 특색이나 본모습.

특강 **똑똑한 하루 창의·융합·코딩**

169쪽

"불 난 집 에 부 채 질 한 다"더니 언니는 엄마께 나의 다른 잘못도 일러바쳤다.

171쪽

그림에서 불 가 사 리 와 문 어 는 연못에 사는 생물이 아니므로 지워야 해요.

○ 연못에 사는 생물로는 물벼룩, 소금쟁이, 물방개, 미꾸라지, 자라, 부레옥잠, 개구리밥, 연꽃 등이 있습니다. '불가사리'와 '문어'는 바다에 사는 생물입니다.

172쪽

(1) ○

○ 코딩 명령에 따라 이동하면 다음과 같습니다.

173쪽

(3) ○

170쪽

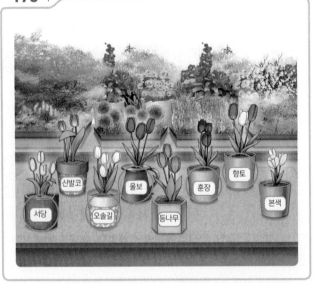

○ '잘 우는 아이.'라는 뜻의 낱말은 '울보', '폭이 좁고 오가는 사람이 많지 않아 조용하고 쓸쓸해 보이는 길.'이라는 뜻의 낱말은 '오솔길', '(옛날에) 아이들이 글을 배우던 곳.'이라는 뜻의 낱말은 '서당', '예전에, 글방 선생을 이르던 말.'이라는 뜻의 낱말은 '훈장', '시골이나 고장.'이라는 뜻의 낱말은 '향토'입니다.

○ 그릇의 가운데 칸에 밀전병을 담고 둘레의 여덟 칸에 각각의 음식을 담아 그 음식들을 밀전병에 싸서 먹는 우리나라 고유의 음식은 구절판입니다.

{ 왜 틀렸을까? }

(1) **삼계탕**: 닭에 인삼, 찹쌀, 대추 등을 넣고 푹 삶은 우리나라 음식.

(2) **오코노미야키**: 채소, 고기 등을 밀가루 반죽에 버무려 철판에 구워 만든 일본 음식.

(4) **카레와 난**: 카레와 빵으로 된 인도 음식.

(5) **쌀국수**: 쌀가루로 만든 국수로, 베트남 음식.

(6) **피자**: 밀가루 반죽에 여러 가지 채소와 치즈 등을 얹어 구운 파이로, 이탈리아 음식.

평가 — 누구나 100점 테스트

174~175쪽

1 감상문 **2** 지수

3

	'코	올	코	올	,	가
릉	가	릉	'	의	∨	느낌
을	∨	살	려	∨	낭	송 하
니	∨	노	래	를	∨	부 르
는	∨	것	∨	같	다	.

4 작은 연못 **5** (1) ② (2) ①

6

	지	금	의	∨ 학 교 와 ∨
같	은	∨	서	당 의 ∨ 모
습	을	∨	재	미 있 게 ∨
표	현	했	다	.

7 서윤 **8** 두 꺼 워 서

9 토 끼 의 재 판 **10** (2) ○

---

1 감상문은 시, 이야기, 그림, 연극 등을 보거나 음식을 먹고 나서 떠오르는 생각이나 느낌을 자유롭게 표현한 글이에요.

{ 왜 틀렸을까? }
전기문은 인물의 삶을 사실대로 기록한 글을 말합니다.

2 이 시를 읽으면 아기가 엄마 발치에서 자는 모습과 고양이가 부뚜막에서 자는 모습이 떠오릅니다.

{ 왜 틀렸을까? }
수혁: 강아지가 울고 있는 모습이 아니라 고양이가 낮잠을 자는 모습이 떠오릅니다.

3 시에 나타난 흉내 내는 말인 '코올코올, 가릉가릉'의 느낌을 살려 읽으면 노래를 부르는 것 같습니다.

4 「작은 연못」이라는 이야기를 읽고 쓴 이야기 감상문입니다.

5 ㉠은 이야기를 읽게 된 까닭에 해당하고, ㉡은 이야기를 읽은 후의 생각이나 느낌에 해당합니다.

{ 더 알아보기 }
이야기를 읽고 감상문을 쓸 때에는 이야기를 읽게 된 까닭, 이야기의 줄거리, 이야기를 읽은 후의 생각이나 느낌을 씁니다.

6 제시된 「서당」 그림은 지금의 학교와 같은 서당의 모습을 재미있게 표현한 그림입니다.

7 그림을 보고 떠오르는 경험을 바르게 말한 친구는 서윤이입니다.

{ 왜 틀렸을까? }
희수: 그림에 조선 시대의 자연 풍경의 모습은 담겨 있지 않습니다.

8 '두껍다'는 '두께가 보통의 정도보다 크다.'라는 뜻이므로 '두꺼워서'라고 고쳐 써야 합니다.

{ 더 알아보기 }
• **두텁다**: 믿음, 관계, 인정 등이 굳고 깊다.
⑩ 두 친구는 오랜 시간 함께 지내서 그 정이 두텁다.
　 언니는 신앙이 매우 두터워서 매일 기도를 열심히 한다.

9 「토끼의 재판」이라는 연극을 보고 쓴 연극 감상문입니다.

10 글 ㈏는 연극을 보고 나서 가장 인상 깊었던 장면에 대해 쓴 것입니다.

{ 더 알아보기 }
글 ㈎는 연극을 보게 된 까닭에 대해 쓴 것입니다.

편지 쓰기

기억에 남는 일을 일기로 남겨 봐요.

즐겁고 행복했던 일

날짜: _____ 날씨: _____

제목: _____

슬프고 속상했던 일

날짜: _____ 날씨: _____

제목: _____

기초 학습능력 강화 교재

연산이 즐거워지는 공부습관

똑똑한 하루
빅터연산

기초부터 튼튼하게

수학의 기초는 연산!
빅터가 쉽고 재미있게 알려주는 연산 원리와
집중 연산을 통해 연산 해결 능력 강화

게임보다 재미있다

지루하고 힘든 연산은 NO!
수수께끼, 연상퀴즈, 실생활 문제로
쉽고 재미있는 연산 YES!

더! 풍부한 학습량

수·연산 문제를 충분히 담은 풍부한 학습량
교재 표지의 QR을 통해 모바일 학습 제공
교과와 연계되어 학기용 교재로도 OK

초등 연산의 빅데이터!
기초 탄탄 연산서
예비초~초2(각 A~D)
초3~6(각 A~B)

정답은
이안에
있어!

기초 학습능력 강화 프로그램

매일 조금씩 공부력 UP!

국어
예비초~초6

수학
예비초~초6

영어
예비초~초6

봄·여름 가을·겨울
(바·슬·즐)
초1~초2

안전
초1~초2

사회·과학
초3~초6

배움으로 행복한 내일을 꿈꾸는
천재교육 커뮤니티 안내 . . .

 교재 안내부터 구매까지 한 번에!
천재교육 홈페이지

천재교육 홈페이지에서는 자사가 발행하는 참고서,
교과서에 대한 소개는 물론 도서 구매도 할 수 있습니다.
회원에게 지급되는 별을 모아 다양한 상품 응모에도
도전해 보세요.

 구독, 좋아요는 필수! 핵유용 정보 가득한
천재교육 유튜브 <천재TV>

신간에 대한 자세한 정보가 궁금하세요?
참고서를 어떻게 활용해야 할지 고민인가요?
공부 외 다양한 고민을 해결해 줄 채널이 필요한가요?
학생들에게 꼭 필요한 콘텐츠로 가득한 천재TV로 놀러 오세요!

 다양한 교육 꿀팁에 깜짝 이벤트는 덤!
천재교육 인스타그램

천재교육의 새롭고 중요한 소식을 가장 먼저 접하고 싶다면?
천재교육 인스타그램 팔로우가 필수!
누구보다 빠르고 재미있게 천재교육의 소식을 전달합니다.
깜짝 이벤트도 수시로 진행되니 놓치지 마세요!